PPT로 책 출간 5

PPT로 100년 수입 창출
책 쓰기, 책 출간

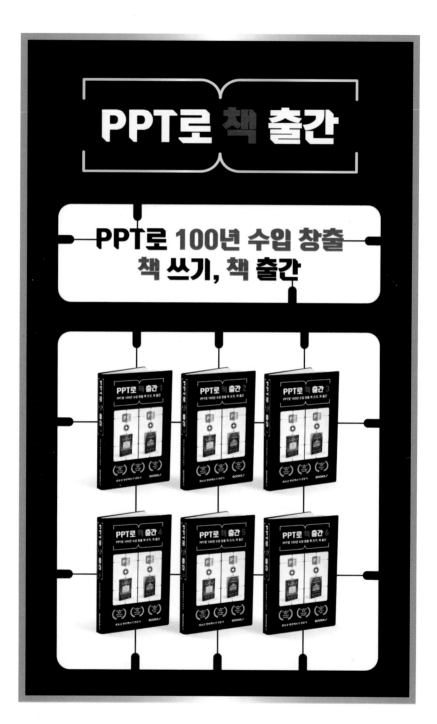

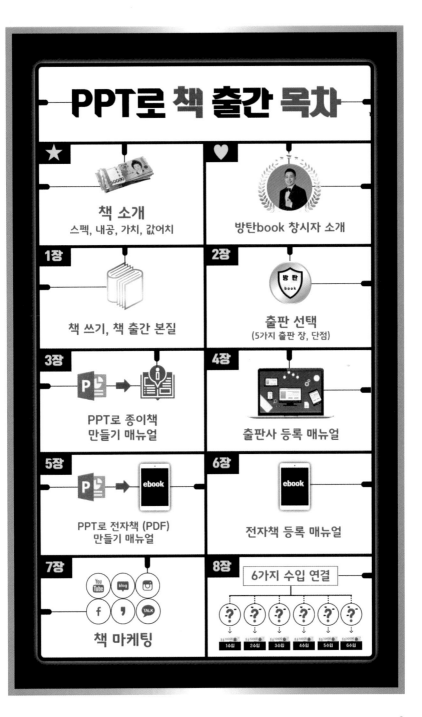

머리말

지금 시대는 노오력이 배신하는 시대이다. 자신 분야 올바른 노력을 해야지만 살아남는다.

열심히 사는 것과 진짜 원하는 삶을 사는 삶의 차이가 무엇인지 아는가? 열심히만 사는 것은 노오력(시간, 경험만 채우는 노력)이고 원하는 삶을 사는 삶은 올바른 노력(어제보다 나음, 변화, 성장, 수입 상승)이다.

PPT를 활용해서 일을 하는 사람들이 많다. 누군가는 PPT를 활용해서 경력만 쌓고 일만 한다. 일할 때 외에는 활용하지 않는다. 하지만 누군가는 PPT를 활용하여 책을 출간해서 제2수입, 제3수입을 올린다. 왜 가지고 있는 경력, 가지고 있는 PPT를 썩히고 있는가? 자신 분야 경력과 PPT로 노오력이 아닌 올바른 노력을 해야 한다. 책 쓰기, 책 출간도 올바른 노력을 해야 한다는 뜻이다. 노오력과 올바른 노력 차이를 비교해 주겠다.

노오력은 한 달에 책 10권만 읽는 사람.
올바른 노력은 한 달에 15권을 읽고 책 4권 출간을 해서 자신 분야 결과를 만들어 내는 사람.
노오력은 1년에 책 100권만 읽은 사람.
올바른 노력은 1년에 책 150권을 읽고 50권 출간을 해서 자신 분야 결과를 만들어 내는 사람.

노오력은 3년 동안 책 300권 만 읽는 사람. (책만 많이 읽는다고 결과가 나오는 게 아니다.) 올바른 노력은 3년 동안 책 450권을 읽고 종이책 150권, 전자책 250권 총 400권 출간으로 자신 분야와 6가지 수입 창출 시스템을 연결하여 결과를 만들어 내는 사람.

책 1,000권을 읽은 사람보다 자신 분야 1권 출간(결과물)한 사람이 결과적으로 인정받는다. 책 1,000권 읽은 결과물을 무엇으로 증명할 것인가? 당연히 책 1,000권을 읽은 사람 중에 인생관이 바뀌어 삶의 질이 달라지고 자신 분야 터닝포인트가 되는 사람도 많다. 하지만 결과물로 인정받는 현실 속에서는 책만 많이 읽는다고 증명 할 수 있는 결과물이 없으면 1,000권, 10,000권을 읽었더라도 인정해주지 않는다.

'나 1,000권 읽었다.' 와 '나는 책 1권 출간해서 이렇게 결과를 만들어 냈다.'는 어마어마한 차이다.

결과물이 전부가 될 수 없지만 현실에서는 어떤 결과물을 만들어 냈느냐가 전부를 말해주는 경우가 더 많다는 것이다.

당신이라면 어떤 사람을 책 쓰기, 책 출간 전문가라고

할 것인가?

어떤 전문가에게 책 쓰기, 책 출간 교육, 코칭을 받을 것인가?

1. 책 10,000권 읽고 책 12권 출간 한 사람.

2. 책 2,000권 읽고 종이책 150권, 전자책 250권 총 400권 출간 한 사람.

1번 사람과, 2번 사람의 차이가 무엇인지 아는가? 책 쓰기, 책 출간 방법만 알고 있느냐 책 쓰기, 책 출간 기술력을 알고 있느냐 차이라는 것이다.

필자가 방탄book기술력을 보유했기 때문에 400권을 출간할 수 있었다는 것이다.

방법만 배우면 한 번에 결과가 나오지만 기술력을 배우면 21세기 황금알을 낳는 거위라는 무인 자동 시스템을 만들 수 있다.

누구도 말할지 못한 방탄book기술력

어디에서도 보지 못한 방탄book기술력

어떤 책에서도 보지 못한 방탄book기술력

어떤 영상에서도 보지 못한 방탄book기술력

어떤 사람에게도 들을 수 없는 방탄book기술력

대한민국 최초, 세계 최초 출판계의 혁신! 방탄book기술력을 오픈한다.

목차

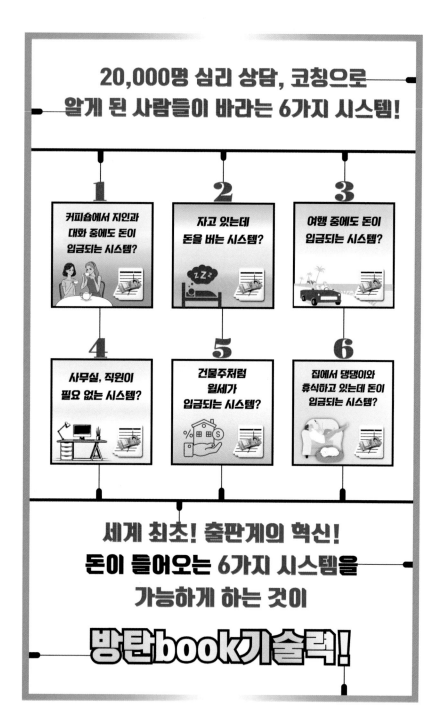

평균 희망 은퇴 73세, 현실 은퇴 나이 49세!
100세 시대 언제까지 몸(노동)으로만
일해서 돈을 벌 것인가?

세상, 현실 기준에서 스펙, 돈, 인맥, 자산 등이
없어서 100세까지 노동을 해야 되고 몸까지 아
프면 더 답이 없는 상황! 젊을 때는 100가지 중
99가지를 할 수 있지만 나이 들면 100가지 중
99가지를 할 수 없다. 3고 시대, AI 시대, 챗
GPT 시대에 자신의 직업이 사라 질 수 있는 상황
에서 어떻게 준비, 대비할 것인가?

 방탄BOOK기술력
선택이 아닌 필수!

Google 자기계발아죤 | ▶YouTube 방탄자기계발 | NAVER 방탄BOOK | NAVER 최보규

**20,000명 심리 상담, 코칭으로 알게 된
20,000명이 바라는 책 쓰기, 책 출간 교육, 코칭**

 10가지

1	한번 출간한 책으로 평생 활용하는 방법을 알려주는 교육, 코칭
2	로또 2등과 같은 기획출판을 하기 위해서 출판기획서 제작 스트레스, 거절 메일을 확인 하는 스트레스, 370가지 스트레스... 등 마음고생 덜 하고 책 출간할 수 있는 책 쓰기 교육, 코칭
3	책 활용 수입 창출 시스템 교육을 검증 된 전문가에게 한 곳에서 시간, 돈 낭비를 줄여주는 책 쓰기 교육, 코칭
4	한번 코칭으로 100년 a/s, 피드백, 관리해 주는 책 쓰기 교육, 코칭
5	책 출간 후 자신 분야 삼성(진정성, 전문성, 신뢰성)을 높여 자신 분야 내공, 가치, 몸값까지 올릴 수 있는 책 쓰기 교육, 코칭

6	출간한 책으로 <u>강사가 되어 은퇴 후 제2의 직업</u>을 할 수 있는 책 쓰기 교육, 코칭
7	책 출간 후 자신 분야 코칭 전문가가 되어 은퇴 후 <u>제3의 직업까지도</u> 할 수 있는 책 쓰기 교육, 코칭
8	책 출간 후 온라인 콘텐츠까지 제작을 해서 <u>비수기 없는</u> 책 쓰기 교육, 코칭
9	책 출간 후 디지털 콘텐츠까지 제작을 해서 <u>월세, 연금성 수입까지 발생</u>시킬 수 있는 책 쓰기 교육, 코칭
10	책 한 권 출간하고 끝나는 것이 아니라 <u>100년 동안 책을 무한대로 출간</u> 할 수 있는 책 쓰기, 책 출간 기술력을 교육, 코칭

책 쓰기, 책 출간 교육, 코칭은 누구나 한다.
<u>6가지 수입 창출 책 쓰기, 책 출간
교육, 코칭은 방탄BOOK 창시자</u> 뿐이다.

20,000명 심리 상담, 코칭으로 알게 된
20,000명이 바라는 책 쓰기, 책 출간 교육, 코칭

 10가지

www.방탄book.com

NAVER 방탄book출판사

세계에서 20,000명이 바라는
책 쓰기, 책 출간 교육, 코칭 10가지를
할 수 있는 곳은

방탄book출판사 뿐이다!

자신 분야 스펙, 내공, 가치, 값어치

카페에서 냅킨에 그린 그림이 1억?

카페에 피카소가 앉아 있었습니다. 한 손님이 다가와 종이 냅킨 위에 그림을 그려 달라고 부탁했습니다. 피카소는 상냥하게 고개를 끄덕이곤 빠르게 스케치를 끝냈습니다. 냅킨을 건네며 1억 원을 요구했습니다.

손님이 깜짝 놀라며 말했습니다. 어떻게 그런 거액을 요구할 수 있나요? 그림을 그리는 데 1분밖에 걸리지 않았잖아요. 이에 피카소가 답했습니다.

아니요. 40년이 걸렸습니다. 냅킨의 그림에는 피카소가 40여 년 동안 쌓아온 노력, 고통, 열정, 명성이 담겨 있었습니다. 피카소는 자신이 평생을 바쳐서 해온 일의 가치를 스스로 낮게 평가하지 않았습니다.

《확신》

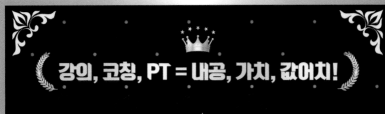

강의, 코칭, PT = 내공, 가치, 값어치!

 최보규 대표

상담, 코칭, 강의, 컨설팅 문의
010-6578-8295

☑ **특허청 등록**
등록 번호: 제 40-2072344 호 [최보규 자기계발코칭 창시자]

☑ **20,000명 심리 상담, 코칭**

☑ **2,000권 독서**

☑ **자기계발서 150권, 전자책 250권**

☑ **강사 15년**

☑ **7G 직업**
(출판사 대표, 작가, 심리 상담사, 코칭 전문가, 강사, 유튜버, 한집의 가장)

☑ **45년간 습관 320가지 만듦**

Google 자기계발아마존	▶YouTube 방탄자기계발	NAVER 방탄자기계발사관학교	NAVER 최보규

1. 가성비 강사 (1+4)

강의 시간 속에 즐거움, 메시지, 스토리텔링,
감동, 실천 동기부여를 해주는 강사

2. 스펙, 강사료 값어치를하는 강사

지금까지 들었던 강사와 다른 내공, 가치, 값어
치가 다르게 느껴지는 강사

3. 실천할 수 있는
강의 사용 설명서를 주는 강사

강의 때 배운 것들 강의 끝난 후 활용할 수 있는
사용 설명서(도구)를 주는 강사

최보규 강사의 차별화 강의가 아닌 초월 강사

 Google 자기계발아마존   YouTube 방탄자기계발   NAVER 방탄자기계발사관학교   NAVER   최보규

1. 가성비 강사가 되기 위해 강사 15년간 2,000권 독서 / 7,000개 메모 / 자기계발서 100권 출간을 통한 메시지, 스토리텔링 강의.

2. 학습자가 봤을 때 "이런 강의는 나도 하겠다."라는 말을 듣지 않고 쓰리 값(나이값, 스펙값, 강사료값)어치를 하기 위해서 강사 11계 명 실천으로 80억 분의 1 검증된 전문가 다운 강의를 하는 강사.

3. 교육, 강의가 끝난 후에 생활 속에서 실천 동기부여를 할 수 있는 도구, 사용 설명서(강사 사비 제작)를 통해 변화, 성장할 수 있게 해주는 강사.

20,000명 심리 상담, 코칭을 통해 알게 된
일반인, 강사, 리더, CEO, 은퇴자, 프리랜서가 바라는 코칭 전문가

Google 자기계발아마존	▶YouTube 방탄자기계발	NAVER 방탄자기계발사관학교	NAVER 최보규

1. 가성비 코칭
변화, 성장, 자신 분야 연결을 통해 제2수입,
제3수입 까지 발생시킬 수 있는 코칭

2. 시간, 돈 낭비를 하지 않는 코칭
검증이 되지 않는 코칭에 속아 시간과 돈 낭비
를 줄여서 빠른 수입 창출 코칭

3. 코칭, PT 받은 후
A/S, 피드백, 관리를 해주는 코칭
혼자 스스로 할 수 있을 때까지, 자리 잡을 때까
지 멘토가 되어 주는 코칭

최보규 전문가의 차별화 코칭(PT)이 아닌 초월 코칭(PT)

Google 자기계발아마존 | YouTube 방탄자기계발 | NAVER 방탄자기계발사관학교 | NAVER 최보규

---

1. 가성비 코칭을 해주기 위해서 자신 분야와 6가지 수입 창출하는 방법을 연결시킬 수 있는 기술력을 체계적으로 교육하는 코칭.

---

2. 특허청 등록: 제 40-2072344 호 [최보규 자기계발코칭 창시자] 매뉴얼, 시스템이 검증된 전문가로서 시간과 돈 낭비를 줄여주는 코칭.

---

3. 청출어람 사명감으로 150년 A/S, 피드백, 관리를 해준다는 우주 최강 책임감으로 멘토가 되어주는 코칭.

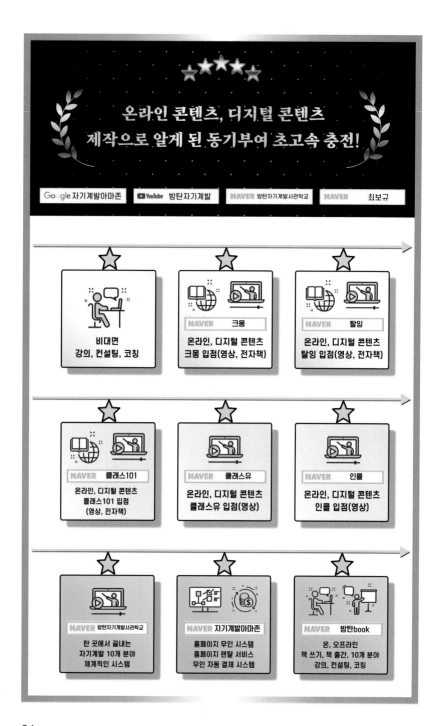

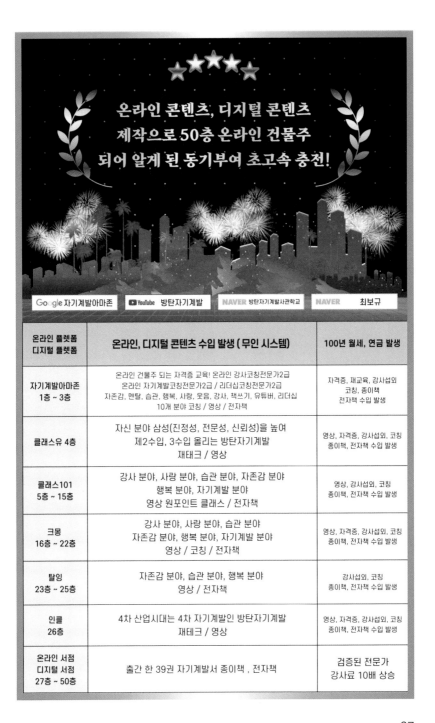

온라인 콘텐츠, 디지털 콘텐츠
제작으로 50층 온라인 건물주
되어 알게 된 동기부여 초고속 충전!

| Google 자기계발아마존 | ▶YouTube 방탄자기계발 | NAVER 방탄자기계발사관학교 | NAVER 최보규 |

온라인 플랫폼 디지털 플랫폼	온라인, 디지털 콘텐츠 수입 발생 (무인 시스템)	100년 월세, 연금 발생
자기계발아마존 1층 ~ 3층	온라인 건물주 되는 자격증 교육! 온라인 강사코칭전문가2급 온라인 자기계발코칭전문가2급 / 리더십코칭전문가2급 자존감, 멘탈, 습관, 행복, 사랑, 웃음, 강사, 책쓰기, 유튜버, 리더십 10개 분야 코칭 / 영상 / 전자책	자격증, 재교육, 강사섭외 코칭, 종이책 전자책 수입 발생
클래스유 4층	자신 분야 삼성(진정성, 전문성, 신뢰성)을 높여 제2수입, 3수입 올리는 방탄자기계발 재태크 / 영상	영상, 자격증, 강사섭외, 코칭 종이책, 전자책 수입 발생
클래스101 5층 ~ 15층	강사 분야, 사랑 분야, 습관 분야, 자존감 분야 행복 분야, 자기계발 분야 영상 원포인트 클래스 / 전자책	영상, 강사섭외, 코칭 종이책, 전자책 수입 발생
크몽 16층 ~ 22층	강사 분야, 사랑 분야, 습관 분야 자존감 분야, 행복 분야, 자기계발 분야 영상 / 코칭 / 전자책	영상, 자격증, 강사섭외, 코칭 종이책, 전자책 수입 발생
탈잉 23층 ~ 25층	자존감 분야, 습관 분야, 행복 분야 영상 / 전자책	강사섭외, 코칭 종이책, 전자책 수입 발생
인클 26층	4차 산업시대는 4차 자기계발인 방탄자기계발 재테크 / 영상	영상, 자격증, 강사섭외, 코칭 종이책, 전자책 수입 발생
온라인 서점 디지털 서점 27층 ~ 50층	출간 한 39권 자기계발서 종이책 , 전자책	검증된 전문가 강사료 10배 상승

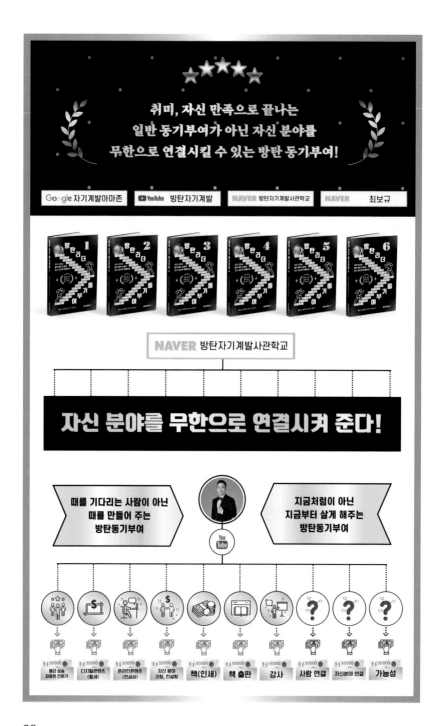

최보규 대표

상담, 코칭, 강의, 컨설팅 문의
010-6578-8295

현] 방탄자기계발사관학교 대표
현] 강사야 대표강사
현] 자기계발아마존 CEO
현] 방탄book 출판사 대표
현] 방탄강사사관학교 코칭전문가
현] 사랑의전화 카운슬러
현] 방탄자기계발 유튜버
현] 최보규상(대한민국 노벨상)창시자

교육 실적

기업

삼성전자, 현대자동차, 한국전력공사, LG전자, 삼성생명보험, 포스코, GS칼텍스, SK네트웍스, 기아자동차, 현대중공업, 에쓰오일, SK에너지, 한국가스공사, LG디스플레이, GM대우, 교보생명, KT, SK텔레콤, 대한생명, LG화학, 롯데백화점, 신세계백화점, 삼성물산, 삼성화재해상보험, 오일뱅크, 대한항공, 삼성중공업, 현대모비스, 하이닉스반도체, 현대제철, 대우조선해양, 한진해운, 대우건설, GS건설, 현대건설, 한국수력원자력, 효성, LG상사, 현대상선, 현대해상화재보험, 대림산업, STX팬오션, LG손해보험, LG텔레콤, 동부화재, 여천NCC, SK건설, 삼성테스코, 삼성SDI, 삼성토탈, 현대하이스코, 한국남부발전, 동국제강, 아시아나항공, 롯데건설, 포스코건설, 한화, SK가스, ING생명, 위아,삼성테크윈, 대우차판매, 쌍용자동차, 제일모직, 한국서부발전, 한국동서발전,신한카드, 현대미포조선, 르노삼성자동차, 현대산업개발, GS리테일, 대우증권, 신한지주금융, 삼성전기, 현대로호증권, 우리투자증권, 비씨카드, 메리츠화재, 글로비스, 한화석유화학, 삼성카드, 현대증권, 로보츠보쉬, 씨티글로벌증권, 한독약품, 이마트, 제일기획, 리츠칼튼, 유엔텍, 삼선개발, CJ, 코오롱, 오리온, GS마켓, 종로학원, 김영사, 아토, 코엔텍, 휴스틸, 블루클럽, 한국콘베어, 디시페로 신진화학 등 2000여 대중소기업

은행

KB국민은행, 우리은행, 신한은행, 산업은행, SC제일은행, 하나은행, 기업은행, 한국외환은행, 한국씨티은행, 농협, 수협, 축협 등

관공서

금융감독원, 검찰청, 국세청, 경찰청, 법무부, 식약청, 보건복지부, 교육청, 서울시, 각 구청, 서울시, 수원시, 인천시, 안동시, 제주시, 안양시, 거제시, 상주시, 만방위교육청, 한국과학기술원가원, 보훈교육연구원, 각 지역 교육연수원, 한국교육개발원, 농업기술센터, 농업기반공사, 국립공원관리공단, 국립특수교육원, 건설교통안재개발원 한국증권업협회 등 200여개 기관

병원

서울대병원, 서울아산병원, 삼성서울병원, 연세대세브란스병원, 가톨릭대 서울성모병원, 아주대병원, 고려대안암병원, 한양대병원, 중앙대병원, 선한목자정형외과, 순천향병원, 봄빛병원, 이다치과, 소리이비인후과, 영산의료법인 등

대학교 특강 (교양, 최고경영자과정, 명사특강)

서울대, 연세대, 고려대, 중앙대, 한양대, 서강대, 포스텍, 카이스트, 경희대, 인하대, 이화여대, 조선대, 안동대, 건국대, 동아대, 충주대, 대전대, 청주대, 대진대, 한국산업기술대, 금오공과대, 아주대, 경기대, 숙명여대, 동국대, 순천대, 전남대, 영남대, 경기대, 강남대, 세종대, 카톨릭대, 경북대, 부경대, 창원대, 목포대, 광주여대, 한국해양대, 세명대, 충남대, 광운대, 울산대, 국민대, 제주대, 서울시립대, 단국대, 군산대, 경성대, 대구대, 동아방송예대, 동의과학대, 백석대, 백석예술대, 폴리텍대, 인천대 등 150여개 대학교.

34

최보규 방탄강사 창시자

저는 입으로 강의하지 않겠습니다.
제 삶으로 강의하겠습니다.
저는 가르치지 않겠습니다.
제 삶으로 가르치겠습니다.
최보규강사는 명강사, 스타강사가 아닙니다!
그래서 한 달에 15권 책을 보고 메모하며
강의 준비, 솔선수범 하고 있습니다!
최보규강사 보다 강의 잘하는 사람은 많습니다!
다만 최보규강사 만큼 학습자를
사랑하는 강사는 세상에 없을 것입니다!

최보규 방탄동기부여 신조

들어라 하지 말고 듣게 하자.
누구처럼 살지 말고 나답게 살자.
좋아하게 하지 말고 좋아지게 하자.
마음을 얻으려 하지 말고 마음을 열게 하자.
믿으라 말하지 말고 믿을 수 있는 사람이 되자.
좋은 사람을 기다리지 말고 좋은 사람이 되어주자.
보여주는(인기) 인생을 사는 것이 아닌
보여지는(인정) 인생을 살아가자.
나 이런 사람이야 말하지 않아도
이런 사람이구나 몸, 머리, 마음으로 느끼게 하자.

경력은 실력이 아닙니다! 최보규 강사는 경력만으로 강의하지 않습니다!
책을 읽고 메모하며 책을 출간 했다고 강의 내공이 좋은 건 아닙니다!
하지만 책 2,032권, 메모 7,626개, 습관 320가지, 책 100권 출간 내공으로
강의하는 강사에 강의 내공은 단언컨대 "세계 최고"일 것입니다!

15년 2,032권 읽음

15년 7,626개 메모

자기계발서 100권 출간

45년 방탄 습관 320가지

최보규 강사 11계명

1. 학습자에게 섬김을 받으려는 강의가 아닌 학습자를 섬길 수 있는 강의를 하겠습니다.
2. 오늘이 마지막 날인 것처럼 강의하고 영원히 살 것처럼 학습자에게 배우겠습니다.
3. 강의 있는 전날에는 최상의 컨디션을 유지 하기 위해 건강관리, 목 관리, 자기관리 하겠습니다.
4. 강의장 1시간 전에 도착해서 강의 마음가짐 준비하겠습니다.
5. 강의장 가장 먼저 도착 강의 끝난 후 가장 늦게 나오겠습니다.
6. 내 삶이 강의고 강의가 내 삶이 되도록 행동하겠습니다.
7. 힘들게 배운 강의 노하우들 아낌없이 주겠습니다.
8. 어떻게 하면 학습자에게 즐거움? 행복? 메시지? 감동? 희망? 사랑?을 줄 것인가에 항상 생각
   하며 공부하겠습니다.
9. TV보다 책을 더 보겠습니다. 10. 공인이라는 마음으로 솔선수범하겠습니다.
11. 강사의 자존심 아침에 나올 때 신발장에 넣고 나오겠습니다.

방탄강사 백신

★ 잘난 강사가 되지 않고 진실한 강사가 되겠습니다!
잘난 강사는 피하고 싶어지지만 진실한 강사는
곁에 두고 싶어집니다!

★ 대단한 강사가 되지 않고 좋은 강사가 되겠습니다!
대단한 강사는 부담을 주지만 좋은 강사는
행복을 줍니다

★ 멋진 강사가 되지 않고 따뜻한 강사가 되겠습니다!
멋진 강사는 눈을 즐겁게 하지만 따뜻한 강사는
마음을 데워 줍니다.

★ 유명한 강사가 되지 않고 필요한 강사가 되겠습니다!
유명한 강사는 환상을 주지만 필요한 강사는
배움, 성장, 지혜를 줍니다.

최보규 방탄동기부여 전문가
검증된 PT; 강의, 맞춤 코칭, 컨설팅

최보규 대표
010-6578-8295

방탄자기계발사관학교는 국가등록 민간자격증 발급 기관! 명품 인재 양성 기관!

리더십코칭전문가	동기부여코칭전문가	자기계발코칭전문가	강사코칭전문가	책쓰기코칭전문가
리더 분야	동기부여 분야	자기계발 분야	강의, 강사 분야	책쓰기, 책출간 분야
\<저자 최보규\>	\<저자 최보규\>	\<저자 최보규\>	\<저자 최보규\>	\<저자 최보규\>

방탄 리더십	7대 동기부여	7대 자기계발	강사 7대 의무교육	책 쓰기 동기부여
리더 7대의무교육	변화,성장동기부여	변화,성장자기계발	강사 인성, 매너	책 출간 동기부여
리더 품위유지의무	비전 동기부여	비전 자기계발	강사 품위유지의무	작가 품위유지의무
리더 은퇴, 재테크	열정 동기부여	열정 자기계발	강사 1-3년 차	책 쓰기, 책 출간 10G
리더 동기부여	사원 동기부여	사원 자기계발	강사료 올리기 위한 준	매뉴얼, 시스템.
리더 스피치	임원진 동기부여	임원진 자기계발	비, 스펙 쌓기.	100권 출간으로 월세,
리더 사명감, 인성	직급별 동기부여	직급별 자기계발	강사4-10년 차	연금성 수입 창출전수.
리더 기본기, 태도	사랑 동기부여	사랑 자기계발	강사료 올리기 위한 준	강의 교안으로 책 쓰고
리더 자존감, 멘탈	자존감 동기부여	자존감 자기계발	비, 스펙 쌓기.	책 출간.
리더 습관, 행복	자신감 동기부여	자신감 자기계발	강사10-20년 차	출간한 책으로 강의 교
리더 인간관계	자기관리 동기부여	자기관리 자기계발	강사료 올리기 위한 준	안 작업.
인재 양성 매뉴얼	자기계발 동기부여	자기계발 자기계발	비, 스펙 쌓기.	출간한 책으로 온라인,
리더 감정컨트롤	멘탈 동기부여	멘탈 자기계발	강사 스킬UP	디지털 콘텐츠 제작.
리더 스트레스관리	습관 동기부여	습관 자기계발	강사 트레이닝	6가지 수입을 창출 하
리더 라포형성기법	긍정 동기부여	긍정 자기계발	강의 스토리텔링 기법	는 책 쓰기, 책 출간.
리더 상담기법	인간관계 동기부여	인간관계 자기계발	강의 SPOT 기법	100년 지속 할 수 있
리더 코칭기법	인재양성 동기부여	인재양성 자기계발	강사 양성 매뉴얼	는 기술력을 배우는 책
리더 스토리텔링	행복 동기부여	행복 자기계발	강사 양성 시스템	쓰기, 책 출간.

40

8장. 출간한 책으로 6가지 수입 연결

대한민국에 99% 출판사들이 책만 출간한다. 대한민국에 1%인 방탄 book출판사는 자신 분야를 6가지 수입을 발생시킬 수 있는 책 출간을 한다. 당신의 선택은? 책만 출간하는 책 쓰기 교육, 코칭? 책도 출간하고 출간한 책을 활용해서 6가지 수입을 발생시키는 책 쓰기 교육, 코칭? 3고 시대, 은퇴 나이 49세 시대를 극복하기 위한 방탄책쓰기 시작하자!

3. 포트폴리오 커리어 리더는 왜! 유튜버 자기계발을 해야 하는가?

이제 유튜버는 개나, 소나, 닭이나 하지 못한다. 각 분야 전문가들이 자신 분야를 홍보하고 전문성을 어필하는 플랫폼이 되었다. 리더의 전문 분야를 불특정 다수와 연결이 되어 기회를 만들 수 있다. 리더의 전문 분야 삼성(진정성, 전문성, 신뢰성)을 높이는 최고의 플랫폼이다. 조직체 원들에게 리더 노하우를 영상으로 제작하여 무한으로 활용할 수 있는 도구가 되어 준다!

★ 리더는 유튜브가 아닌 나튜브

리더 자신 분야 책 쓰기, 책 출간이 자기계발에 0순위라면 유튜버는 1순위다. 리더 자신 분야 최고의 수입 플랫폼 연결 고리가 되어 자신 분야를 무한대로 연결시켜준다.

필자가 유튜브로 수입을 창출하고 자신 분야 삼성(진정성, 전문성, 신뢰성)을 올리고 자기계발을 했던 것을 참고하길 바란다! 강의, 강사 섭외, 1:1코칭, 자기계발 코칭을 기획한 영상으로 책을 출간해서 인세(사후 70년까지 보장되어 유산 상속도 가능)가 발생했다. 불특정 다수 사람들과의 연결로 인해 기회, 홍보, 가능성이 무한대로 발생. 필자가 자기계발을 폭팔시켰던 계기가 유튜버를 시작해서다.

유튜브 하기 전에는 컴맹이었다. 영상 편집 1도 몰랐던 사람이었다. 영상 편집, 디자인 제작을 독학으로 마스터하고 2023년 기준 유튜브 5년 차, 유튜브 5년 동안 유튜브 자체로는 수익 창출을 못해서 광고 수입은 0원이다. 5년 동안 영상 300~400개 올렸는데 수익 창출이 없었다. 이런 상황이라면 10,000명 중에 10,000명은 셔터문을 내렸을 것이다.

필자는 어떻게 버텼을까? 어떻게 지금도 하고 있을까? 수입 발생 연결 고리, 동기부여, 의미부여, 목표, 방향 설정을 다르게 했기에 살아남을 수 있었다는 것이다. 앞에서 말했던 의미부여, 목표, 방향이 중요하다고 강조! 강조! 하는 것이다.

유튜브 5년 하면서 100권의 책을 출간 했다. 유튜브를 했기에 100권의 책을 출간 할 수 있었다.

350만, 250만, 200만, 100만, 50만, 10만, 5만... 등 구독자를 가지고 있었던 유튜버들이 유튜브를 떠난 이유? 일반 사람들 상식으로는 이해가 되지 않을 것이다. "구독자가 그렇게 많은데 돈을 많이 벌 텐데 왜? 그만두지?" 유튜브를 그만두는 이유가 많겠지만 20,000명을 심리 상담, 코칭 하면서 알게 된 것은 나튜버가 아닌 유튜버를 했기 때문에 그만두는 경우가 더 많다는 것을 알게 되었다. 필자도 5전 전에 유튜브를 시작하면서 유튜브 자체로는 힘들다는 것을 알고 시행착오, 대가 지불, 인고의 시간을 거쳐서 나튜브 개념을 깨닫게 되었다. 구독자 100만 명, 구독자 200만 명, 구독자 1,000만 명을 가지고 있는 유튜버들도 말하지 못하고 쓰지 못하는 책을 필자가 쓰는 것이다.

지금 바로 필자의 구독자가 몇 명인지 <방탄자기계발> 직접 가서 확인하고 오라. 필자의 구독자가 몇 명인지 보고 오신 분들은 이런 의문점이 들것이다.

"엥? 유튜브 책을 쓰려면 못해도 구독자가 100만 명은 되어야지 어필 할 수 있는 거 아닌가요? 보여줄 것이 있어야 되는거 아닌가요? 증명 할 것이 없으면 책 내용들 신빙성이 떨어지는 거 아닌가요? 구독자가 많지 않은데 어떻게 100만 명, 200만 명, 1,000만 명 구독자를 가지고 있는 유튜버도 쓰지 못하는 것을 쓸 수가 있죠? 어떤 근거로 유튜브 사용설명서라고 말을 하는 거죠? 당신의 근자감(근거없는 자신감)은 어디서 나오는 거죠?"

위 내용이 지금 보고 있는 당신의 속마음 200% 일 것이다. "헉 어떻게 알았지?" 필자가 사람 속마음을 읽는 기술이 있는 것이 아니라 20,000명 심리 상담, 코칭 경력이 있기에 가능하다는 것이다. 당연히 유튜브 책을 쓸 수 있는 자격에 대한 의문점이 들 수밖에 없다.

어떤 분야든 검증이 되고 보여줄 것이 있고 대단해 보이는 결과가 있어야만 전문가라고 할 수 있고 신빙성이 올라가서 말을 할 수 있을 것이다.

필자의 채널 구독자 수만 보면 유튜브에 대해서 말 할 수 가 없다. 어떤 말을 하더라도 신빙성이 떨어질 것이다. 하지만 유튜브 자체로는 보여 줄 것이 없지만 유튜브라는 도구를 어떻게 활용하냐에 따라 580도 달라진다는 것을 말하고 싶은 것이다. 결과를 만들었기에 말을 하는 것이다.

예를 들겠다. 누구나 가지고 있는 스마트폰을 활용해서 누군가는 시간 때우는 도구밖에 되지 않는데 누군가는 스마트폰 속에 있는 인스타그램, SNS... 등을 활용해 돈을 벌고 있다. 다른 예시를 하나 더 들면 누군가는 자동차를 출퇴근용, 악세사리 개념으로 활용하고 누군가는 자동차를 돈을 버는 도구로 활용한다.

필자가 유튜브라는 도구를 활용해서 어떤 결과를 만들고 있는지 확인하고 나서 책을 덮고 "최보규 1818 책값 날렸네. 자격도 안 되는데 유튜브 책을 쓰고 ㅈ ㄹ이야! 시간 아까워!"라는 쌍욕을 하던지 하라.

★ 필자가 유튜브라는 도구를 활용해서 결과를 만들고 앞으로 100년 결과를 만들어 갈 것들 참고하자.

1. 유튜브에서 200개~300개 제작한 영상으로 100권의 책을 출간 했다.

2. 유튜브에서 200개~300개 제작한 영상으로 온라인, 디지털 콘텐츠 제작해서 재능마켓에서(크몽, 탈잉, 클래스101, 클래스유, 인클, 유페이터)월세, 연금성 수입을 올리고 있다.

3. 유튜브에서 200개~300개 제작한 영상으로 50층 온라인 건물을(온라인 건물주) 만들어 앞으로 100년 월세, 연금성 수입이 발생하는 시스템을 만들었다.

4. 유튜브에서 200개~300개 제작한 영상으로 무인 시스템 홈페이지를 만들어 움직이지 않아도 돈을 벌 수

있는 시스템을 만들었다. (www.자기계발아마존.com / 네이버에서 자기계발아마존 검색해도 나온다.)

5. 유튜브에서 200개~300개 제작한 영상으로 책 100권을 출간해서 검증된 강사가 되어 강사료가 10배 상승했다.

6. 유튜브에서 200개~300개 제작한 영상으로 책 100권을 출간해서 전문 분야 몸값, 가치, 값어치가 1,000배 상승했다.

이미지로 보면 유튜브 책을 쓸 자격이 있는지 더 신빙성이 갈 것이다. 이미지를 보고도 유튜브 책을 쓸 자격이 의심스럽다면 더 이상 할 말이 없다. 그냥 책 덮고 전화해라. 책값에 10배를 주겠다. 단 타당한 이유 설명이 되어야 한다.

필자가 유튜브를 활용한 시스템을 자신 분야에서도 활용하고 싶다면 코칭 상담 받길 바란다.

※. 기본 상담 10분(무료) / 1시간 컨설팅 상담(유료)
★ 최보규 리더유튜브 코칭전문가 010-6578-8295

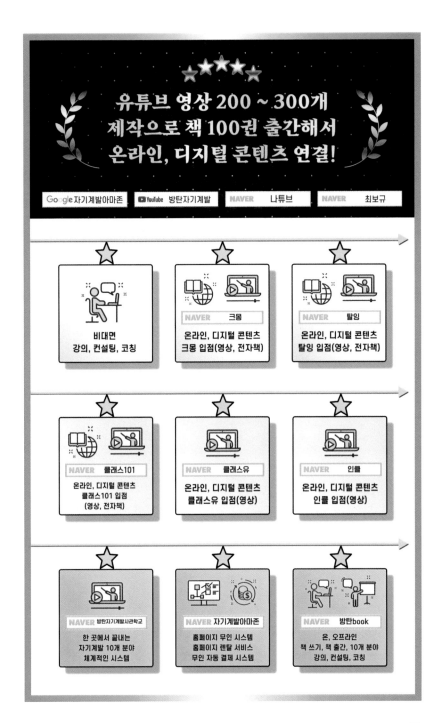

유튜브 영상 200 ~ 300개
제작으로 책 100권 출간하여
온라인, 디지털 콘텐츠 연결 시켜
50층 온라인 건물주!

Google 자기계발아마존	▶YouTube 방탄자기계발	NAVER 나튜브	NAVER 최보규

온라인 플랫폼 디지털 플랫폼	온라인, 디지털 콘텐츠 수입 발생 (무인 시스템)	100년 월세, 연금 발생
자기계발아마존 1층 ~ 3층	온라인 건물주 되는 자격증 교육! 온라인 강사코칭전문가2급 온라인 자기계발코칭전문가2급 / 리더십코칭전문가2급 자존감, 멘탈, 습관, 행복, 사랑, 웃음, 강사, 책쓰기, 유튜버, 리더십 10개 분야 코칭 / 영상 / 전자책	자격증, 재교육, 강사섭외 코칭, 종이책 전자책 수입 발생
클래스유 4층	자신 분야 삼성(진정성, 전문성, 신뢰성)을 높여 제2수입, 3수입 올리는 방탄자기계발 재테크 / 영상	영상, 자격증, 강사섭외, 코칭 종이책, 전자책 수입 발생
클래스101 5층 ~ 15층	강사 분야, 사랑 분야, 습관 분야, 자존감 분야 행복 분야, 자기계발 분야 영상 원포인트 클래스 / 전자책	영상, 강사섭외, 코칭 종이책, 전자책 수입 발생
크몽 16층 ~ 22층	강사 분야, 사랑 분야, 습관 분야 자존감 분야, 행복 분야, 자기계발 분야 영상 / 코칭 / 전자책	영상, 자격증, 강사섭외, 코칭 종이책, 전자책 수입 발생
탈잉 23층 ~ 25층	자존감 분야, 습관 분야, 행복 분야 영상 / 전자책	강사섭외, 코칭 종이책, 전자책 수입 발생
인클 26층	4차 산업시대는 4차 자기계발인 방탄자기계발 재테크 / 영상	영상, 자격증, 강사섭외, 코칭 종이책, 전자책 수입 발생
온라인 서점 디지털 서점 27층 ~ 50층	출간 한 31권 자기계발서 종이책 , 전자책	검증된 전문가 강사료 10배 상승

해보자! 해보자!
리더 가능성을 믿고!

해보자!

해보자!

리더의
사과 씨, 도토리, 포도 씨 믿으세요!

사과 씨 안에 얼마나 많은 사과가 있는지 모른다!
도토리 안에 얼마나 많은 도토리가 있는지 모른다!
포도 씨 안에 얼마나 많은 포도가 있는지 모른다!

리더가 하는 유튜버는 일반 사람이 하는 유튜버와 달라야 하고 다르게 해야 한다. 리더 유튜버는 책임감을 가지고 해야지 "해도 그만 안 해도 그만"이런 태도로 하면 안 된다. 리더다운 유튜버를 해야 하는데 일반 사람처럼 유튜버를 하니 오래 지속 못하는 것은 당연한 결과다.

4차 산업 시대, AI 시대, 5G 시대, 챗GPT시대... 등 빠르게 변하는 시대 속에서 리더 자신과 리더 자신 분야, 가족, 팀원, 조직체원들의 배움, 비전, 변화, 성장, 가치, 수입을 위해 리더는 유튜브가 아니라 나튜브는 선택이 아닌 필수다.

리더에게 가장 중요한 인재 양성 스펙을 학습, 연습, 훈련을 잘하기 위한 리더 유튜브 자기계발 4가지와 리더 유튜버 코칭 10계명(품위유지의무)을 배울 것이다.

리더는 4차 산업 시대에 4차 인재 양성 스펙은 선택이 아닌 필수다.

★ 누구에게나 주어진 유튜브 도구를 어떻게 활용하고 있는가?

누구에게나 주어진 유튜브라는 도구를 누군가는 비교, 불만, 시간 때우는 도구로 사용하여 정신, 멘탈, 자존감을 배터리를 깎아 먹는지도, 방전되는지도 모르고 계속 시청하고 있다.

누군가는 언택트 시대, 비대면 시대, 빠르게 변하는 시대를 극복하기 위해 "더 이상 미루면 안 돼! 어떻게 하면 할 수 있을까?"라는 태도로 "컴맹이지만, 마우스만 움직일 줄 알지만" 그럼에도 불구하고 행동하고 배우려 한다.

누군가는 유튜브를 자신 분야와 연결해 수익 10배 올리는 도구로 사용을 하고 있다. 더 나아가 리더 자신 분야 삼성(진정성, 전문성, 신뢰성)을 높이고 월세, 연금성 수입까지 발생시키는 온라인 건물주가 되어 은퇴, 노후 준비까지 한다.

리더여 당신은 유튜브라는 도구를 어떻게 사용하고 있는가?

시행착오, 리스크을 줄이려면 도구 사용 설명서를 봐야한다. 사용 설명서가 없다면 독학, 시행착오, 대가 지불, 인고의 시간, 돈, 시간들이 어마어마하게 들어간다.

필자가 독학, 시행착오, 대가 지불, 인고의 시간, 돈, 시간... 등을 미리 어마어마하게 겪고 나서 "세계 최초" 리더 유튜브 사용 설명서인《리더는 유튜브가 아닌 나튜브 1, 2, 3》를 만들었다. 리더에게 선택이 아닌 필수인 유튜브 설명 시작한다!

★ 20,000명 심리 상담, 코칭 하면서 알게 된 유튜브 비밀!

20,000명 심리 상담, 코칭 하면서 알게 된 것은 3~4년 전만 해도 유튜브 개나 소나 닭이나 아무나 시작 할 수 있었다. "아무나 한다."라는 인식이 강했다. 그래서 만나는 사람들끼리 하는 말 "직장 때려 치고 유튜브나 할까? 유튜브 개나 소나 닭이나 아무나 하는데 내가 못 할까? 할 거 없으면 유튜브나 할까?"라는 말을 많이 했다. 하지만 유튜버는 개나 소나 닭이나 아무나 한다고 말하면서 정작 그런 말을 하는 사람이 유튜버를 하고 있지 않다면 개나 소나 닭보다 못한다는 존재가 된다는 것을 알아야 한다. 리더라면 함부로 말을 하면 안 된다.

지금 유튜브 개나 소나 닭이나 못한다. 아무나 못 하는 트랜드로 가고 있다. 공영 방송보다 유튜브 시청 시간이 더 많다 보니 전문 분야 사람들, 인지도 있는 사람들, 연예인들, 공영 방송들조차도 유튜브를 하고 있는 상황이다. 아무나 하면 기회가 적다. 아무나 못 하기에 이제는 더욱 더 기회가 있는 것이다. 유튜브는 누구나 할 수 있지만 아무나 오래 지속은 하지 못한다.
다음은 태진아 가수의 "사랑은 아무나 하나" 노래를 개사한 것이다.

1절

유튜브 아무나 하나

유튜브 아무나 하나

유튜브 아무나 하나

스마트폰만 있음 누구나 시작하지

지인들의 피드백 구독자의 악성 댓글들

못 견디면 그만두는 지름길

어느 세월에 한 달 평균 300 받아

여유롭게 유튜브 하나

유튜브 아무나 하나

어느 누가 쉽다고 했나?

2절

유튜브 개나 소나 한다.

유튜브 개나 소나 한다.

유튜브 개나 소나 한다.

스마트폰만 있음 누구나 시작하지

시작은 쉬운데 하다 보니 장난 아니네

유튜브에 지옥문이 열리네

100명 시작하면 99명 그만두는 환경

어떻게 꾸준히 할까.

유튜브 개나 소나 한다.

오래 지속은 아무나 못 한다.

★ 리더 자신 분야 최고의 수입 플랫폼 연결 고리가 되어 자신 분야를 무한대로 연결해 준다.

필자가 유튜브로 수입을 창출하고 자신 분야 삼성(진정성, 전문성, 신뢰성)을 올려 제2수입, 제3수입을 발생시켜 50층 온라인 건물주가 될 수 있었던 설명을 시작 한다. 강의, 강사 섭외, 1:1코칭, 자기계발 코칭을 기획한 영상으로 책을 출간해서 인세(사후 70년까지 보장되어 유산 상속도 가능)가 발생했다. 불특정 다수 사람과의 연결로 인해 기회, 홍보, 가능성이 무한대로 발생했다. 필자가 자기계발을 폭발시켰던 계기가 유튜버를 시작해서다.

유튜브 하기 전에는 컴맹이었다. 영상 편집 1도 몰랐던 사람이었다. 영상 편집, 디자인 제작을 독학으로 마스터하고 2023년 기준 유튜브 5년 차, 유튜브 5년 동안 유튜브 자체로는 수익 창출을 못해서 광고 수입은 0원이다. 5년 동안 영상 300~400개(비공개, 삭제 영상 포함) 올렸는데 수익 창출이 없었다. 이런 상황이라면 10,000명 중에 10,000명은 셔텨문을 내렸을 것이다.

"필자는 어떻게 버텼을까? 어떻게 버텼을까가 아니라 어떻게 극복 했을까"가 맞다! "어떻게 지금도 하고 있을까?" 수입 발생 연결 고리, 동기부여, 의미부여, 목표, 방향 설정을 다르게 했기에 살아남을 수 있었다는 것이다.

20,000명 심리 상담, 코칭 하면서 알게 된 것은 유튜브를 그만두는 이유 첫 번째는 돈을 벌지 못해서다. 유튜브로 돈을 벌 수 있는 방법이 여러 가지가 있다. 그런데 유튜브로 수익창출 할 수 있는 가장 기본 조건인 첫 번째 구독자 1,000명. 두 번째 시청 시간 4,000시간(1년 동안)이다. 그런데 수익 창출 조건 2가지를 달성했더라도 달달이 돈이 나오는 것이 아니다. 그래서 필자처럼 유튜브 자체적으로 수익 창출이 되지 않아 수입이 발생하지 않더라도 유튜브라는 홍보 플랫폼을 자신 분야와 연결을 시켜 다른 수입을 올려야만 오래 지속 할 수 있는 것이다. 다음은 유튜버 현실을 뼈저리게 깨닫게 해주는 내용이다.

12년 동안 구독자 2만 명인 유튜버도 있다! 3년 동안 꾸준히 영상을 올리는데도 구독자가 500명뿐인 채널이 분명 존재한다.
유튜버들이 말하는 전업 투자의 기준은 최소 구독자 10만 명이다. 영상을 기다리고 업로드 때마다 봐주는 구독자가 적어도 10만 명은 있어야 유튜브로 생계를 걸어볼

만하다는 것이다. 그런데 일반인들은 잘 모르는 유튜브 수익 구조의 비밀이 있다. 구독자와 수입은 정비례하지 않는다는 것이다.

《친절한 성 기자의 유튜브 재테크》

기사, TV, 유튜브 영상... 등에서 유튜버 억대 연봉 말만 듣다가 위에 말을 들으니 현실감이 오는가? 어떤 직업이든 기사, TV, 유튜브 영상... 등에서 말하는 것에 3혹 (유혹, 현혹, 화혹: 화려함에 혹하는 것)되면 안 되는 것이다. 다음 이미지에 나오는 유튜브 광고수입 외에 유튜브로 돈 버는 방법을 참고하자.

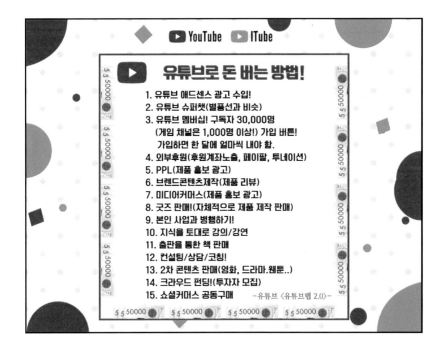

유튜브로 돈 버는 방법이 이렇게 많은데도 유튜브라는 것이 쉽지 않다. 돈 벌기가 쉽지 않다. 당연한 것이다. 15가지 돈 버는 방법이 있지만 현실은 정작 자신 분야 콘텐츠로 돈 벌기가 쉽지 않다는 것이다.

뒤에서 자세히 설명하겠지만 구독자가 많은 유튜버 콘텐츠, 인기 있는 분야 콘텐츠, 대중들이 좋아하는 콘텐츠를 따라 한다는 것은 가장 빠르게 유튜브를 그만두는 지름길이다.

순간 이런 의문점이 들것이다. "왜 그만두는 지름길일까? 수많은 유튜버들이 대세 콘텐츠를 따라 하라고 하는데 최보규 리더유튜버 코칭전문가는 왜 따라하지 말라고 하는 거지?"

20,000명 심리 상담, 코칭 하면서 알게 된 이유를 결론부터 말을 하면 일반 사람이라면 대세를 따르는 건 상관없다.(유튜브를 그만두는 사람 100명 중 99명이 인기 있는 채널 콘텐츠 따라 해서다.)

리더가 유튜버를 한다면 유튜브 채널 목표, 방향을 자신 분야 콘텐츠로 해야지만 유튜브 자체에서 수입이 발생하지 않아도 자신 분야 자체에서 수입이 발생하는 것이 있기에 멘탈이 크게 좌지우지되지 않는다는 것이다.

66

리더라면 본 캐릭터 수입이 발생하는 상황에서 부캐릭 (자신 분야와 연결되는 캐릭터)으로 유튜버를 해야 한 다.

일반 사람들처럼 "순간 돈 되면 하고 안 되면 안 해" 태도가 아니라 리더라면 대부분 한 분야 전문가이고 전 문성이 있기 때문에 "해도 그만 안 해도 그만이 아니다. 유튜브 플랫폼을 내 분야와 연결시키면 평생 도움 되는 것이다."라는 태도로 해야 되는 것이다.

그래서 리더 유튜버는 유튜브 트렌드를 공부하면서 자 신 분야 콘텐츠로 수입과 연결 될 수 있는 방법을 만들 어야 한다. 그 방법들을 이 책에서 세계 최초로 오픈하 는 것이다.

앞에서도 언급했듯이 필자가 유튜브 자체 수익 창출 2 가지 조건(구독자 1,000명. 1년 동안 4,000시간)이 되 지 않아서 5년 동안 유튜브 자체에서는 0원이었지만 필 자 분야 7G 직업(출판사 대표, 작가, 심리 상담사, 코칭, 강사, 유튜버, 한집의 가장)연결을 통해 수입을 발생 시 켰던 방법 참고하길 바란다.

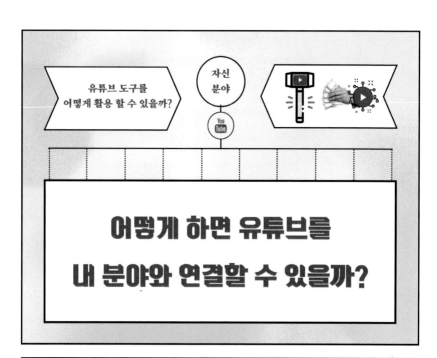

어떻게 하면 유튜브를
내 분야와 연결할 수 있을까?

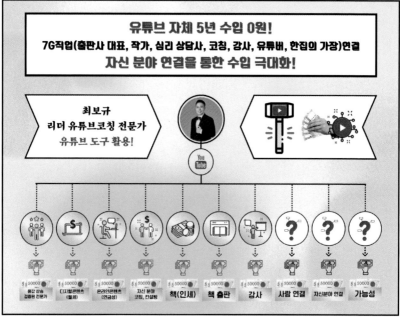

유튜브 자체 5년 수입 0원!
7G직업(출판사 대표, 작가, 심리 상담사, 코칭, 강사, 유튜버, 한집의 가장)연결
자신 분야 연결을 통한 수입 극대화!

최보규
리더 유튜브코칭 전문가
유튜브 도구 활용!

★★★★★

유튜브 영상 200 ~ 300개 제작으로 책 100권 출간해서 온라인, 디지털 콘텐츠 연결!

Google 자기계발아마존	▶YouTube 방탄자기계발	NAVER 나튜브	NAVER 최보규

비대면
강의, 컨설팅, 코칭

NAVER 크몽

온라인, 디지털 콘텐츠
크몽 입점(영상, 전자책)

NAVER 탈잉

온라인, 디지털 콘텐츠
탈잉 입점(영상, 전자책)

NAVER 클래스101

온라인, 디지털 콘텐츠
클래스101 입점
(영상, 전자책)

NAVER 클래스유

온라인, 디지털 콘텐츠
클래스유 입점(영상)

NAVER 인클

온라인, 디지털 콘텐츠
인클 입점(영상)

NAVER 방탄자기계발사관학교

한 곳에서 끝내는
자기계발 10개 분야
체계적인 시스템

NAVER 자기계발아마존

홈페이지 무인 시스템
홈페이지 렌탈 서비스
무인 자동 결제 시스템

NAVER 방탄book

온, 오프라인
책 쓰기, 책 출간, 10개 분야
강의, 컨설팅, 코칭

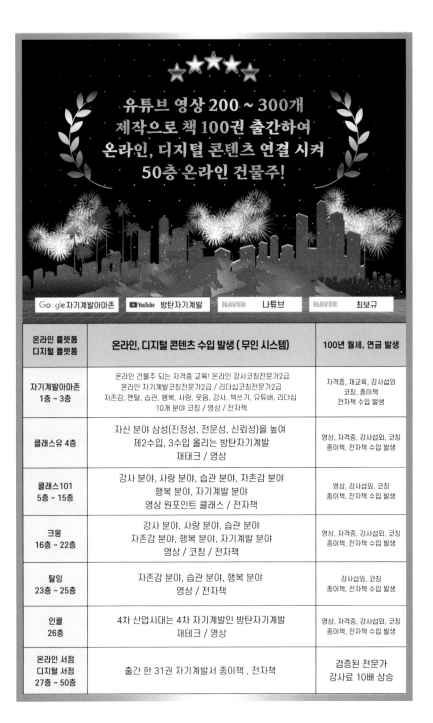

유튜브 영상 200 ~ 300개
제작으로 책 100권 출간하여
온라인, 디지털 콘텐츠 연결 시켜
50층 온라인 건물주!

| Google 자기계발아마존 | ▶YouTube 방탄자기계발 | NAVER 나튜브 | NAVER 최보규 |

온라인 플랫폼 디지털 플랫폼	온라인, 디지털 콘텐츠 수입 발생 (무인 시스템)	100년 월세, 연금 발생
자기계발아마존 1층 ~ 3층	온라인 건물주 되는 자격증 교육! 온라인 강사코칭전문가2급 온라인 자기계발코칭전문가2급 / 리더십코칭전문가2급 자존감, 멘탈, 습관, 행복, 사랑, 웃음, 강사, 책쓰기, 유튜버, 리더십 10개 분야 코칭 / 영상 / 전자책	자격증, 재교육, 강사섭외 코칭, 종이책 전자책 수입 발생
클래스유 4층	자신 분야 삼성(진정성, 전문성, 신뢰성)을 높여 제2수입, 3수입 올리는 방탄자기계발 재테크 / 영상	영상, 자격증, 강사섭외, 코칭 종이책, 전자책 수입 발생
클래스101 5층 ~ 15층	강사 분야, 사랑 분야, 습관 분야, 자존감 분야 행복 분야, 자기계발 분야 영상 원포인트 클래스 / 전자책	영상, 강사섭외, 코칭 종이책, 전자책 수입 발생
크몽 16층 ~ 22층	강사 분야, 사랑 분야, 습관 분야 자존감 분야, 행복 분야, 자기계발 분야 영상 / 코칭 / 전자책	영상, 자격증, 강사섭외, 코칭 종이책, 전자책 수입 발생
탈잉 23층 ~ 25층	자존감 분야, 습관 분야, 행복 분야 영상 / 전자책	강사섭외, 코칭 종이책, 전자책 수입 발생
인클 26층	4차 산업시대는 4차 자기계발인 방탄자기계발 재테크 / 영상	영상, 자격증, 강사섭외, 코칭 종이책, 전자책 수입 발생
온라인 서점 디지털 서점 27층 ~ 50층	출간 한 31권 자기계발서 종이책 , 전자책	검증된 전문가 강사료 10배 상승

리더는 유튜브가 아닌 나튜브!

자신 분야
삼성(진정성, 전문성, 신뢰성)을 높여
온라인 건물주!

유튜브는 자신 100년 인생 파이프라인!

▶ 파이프라인: 시간, 환경 제약 없이 지속적인 소득이 일어난다!

지금 시대 유튜브 ▸ You Tube ◂ 선택이 아닌 필수

자신 분야를 무한으로 연결시켜 준다!

최보규
리더 유튜브코칭 전문가
유튜브 도구 활용!

몸값 상승 급등원 전문가	디지털콘텐츠 (월세)	온라인콘텐츠 (연금성)	자신 분야 코칭, 컨설팅	책(인세)	책 출판	강사	사람 연결	자신분야 연결	가능성
50000	50000	50000	50000	50000	50000	50000	50000	50000	50000

 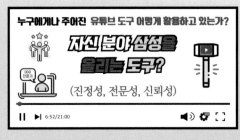

★ 4차 산업 시대, 디지털 시대에 맞는 리더의 필수 3 가지 스펙!

앞으로 디지털 시대, 비대면 시대가 더 활성화되면 되었지 덜 하지는 않는다. 자신 분야 영상 촬영 편집 기술력, 홍보디자인 제작 기술력, 온라인, 디지털 콘텐츠 제작 기술력은 스펙이며 필수 스펙이 되었다.

전문 분야가 있는데 영상 편집, 홍보 디자인을 못한다? 영상 콘텐츠 제작을 못한다? 전문가라고 말을 하면 안 된다. 쪽팔리고 자존심 상해야 하며 위기의식을 가져야 한다.

리더라면 지금 트랜를 잘 봐야 한다. 유튜브, 페이스북, 인스타그램, 네이버 블로그, SNS, 자신 분야 홍보 디자인 제작, 재능마켓, 홍보 디자인, 광고 디자인, 영상, 화려한 디자인들, 화려한 사진들, 화려한 이미지들이 하루만해도 어마어마하게 쏟아지고 있다.

지금 대부분 사람들이 화려한 이미지에 노출이 많이 되어 있어서 이미지 없이 텍스트만 있는 것은 무시하고 처다보지도 않는 트랜드다. 처다보지도 않는다는 게 뭔지 아는가? 쓰레기 취급한다는 것이다.

이런 상황에서 언제까지 돈 주고 전문가에게 의뢰할 것 인가? 제작 의뢰하는 것도 한계가 있는 것이다. 전문 분 야가 있고 프리랜서라면 자신 분야 디자인 작업과 홍보 디자인 작업을 계속 해야 한다.

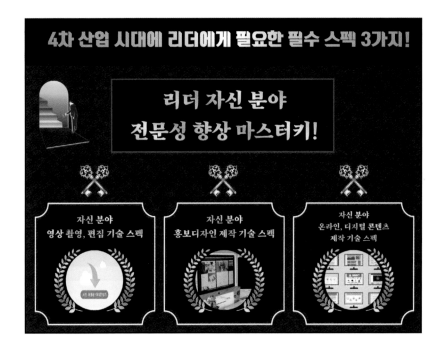

다시 한 번 강조 한다! 디지털 시대를 살아남기 위한 필 수 스펙은 자신 분야 영상 촬영 편집 기술력, 홍보디자 인 제작 기술력, 온라인, 디지털 콘텐츠 제작 기술력은 스펙이며 필수 스펙이다.
리더 자신 분야 삼성(진정성, 전문성, 신뢰성)을 올리기 위한 필수 스펙 3가지 1:1 코칭 상담 받길 바란다.

★ 유튜브 하면 1년 안에 그만두지만 나튜브 하면 150세까지 한다!

나튜브? 유튜브(구독자 주체 70%, 자신 주체 30%)가치관, 방향, 목표로 하면 1년도 못 가지만 나튜브(구독자 주체 30%, 자신 주체 70%)가치관, 방향, 목표로 하면 150년을 한다.

350만, 250만, 200만, 100만, 50만, 10만, 5만... 구독자를 가지고 있었던 유튜버들이 유튜브를 떠난 이유? 일반 사람들 상식으로는 이해가 되지 않을 것이다. "구독자가 그렇게 많은데 돈을 많이 벌텐데 왜? 그만두지?" 유튜브를 그만두는 이유는 많겠지만 20,000명을 심리 상담, 코칭 하면서 알게 된 것은 나튜버가 아닌 유튜버를 했기 때문에 그만두는 경우가 더 많다.

자신을 위해서 유튜브를 해야 하는데 구독자를 위해서 하고 있다는 것이다. 유튜브를 나를 위해서 무조건 100% 하라는 말은 아니다. 나튜브의 개념을 잘 알아야 한다.

나튜브는 자신이 주최가 되는 것이고 유튜브는 보는 사람들이(구독자) 주최가 되는 것이다. 나튜브 뜻은 유튜브 구독자들, 시청자들을 무시하라고 말하는 게 아니다.

자신이 추구하는 가치관 방향성이 70%라면 시청자가 구독자가 바라는 피드백, 요구사항은 30%만 생각을 해야 한다. 하지만 유튜버를 힘들고, 어렵게 하는 사람들은 반대로 하고 있다.

신청자, 구독자들이 말하는 거에 70% 휘둘리니 당연히 멘탈이 깨지는 게 정상이라는 것이다.

나다움의 본질이 뭔지 아는가? 대부분 사람들이 잘못 알고 있다. 내 멋대로 하는 거, 주위 사람 의식 안 하고 내 성격대로 하는 게 나다움이라고 잘못 알고 있다.

나다움 본질의 기본은 사람의 도리(인성, 매너, 개념, 함께 잘 살기 위한 행동)를 지킬 때 시작되는 것이다.
나튜브의 본질은 사람의 도리(인성, 매너, 개념, 함께 잘 살기 위한 콘텐츠)를 지키며 자신이 추구하는 방향, 목표를 잃지 않고 하는 것이다.
유튜브를 하면 1년 안에 90%는 그만둔다. 나튜브를 하면 150년 지속 할 수 있다. 방탄유튜버 사관학교에서는 유튜버가 아닌 150년을 지속 할 수 있는 나튜버! 교육, 코칭을 한다.

유튜브 하면 **1년**안에 그만두지만
나튜브 하면 **150세**까지 한다!

 6:52/21:00 YouTube ITube

YouTube

구독자 주체 70%
자신 주체 30%

(채널 목표, 방향, 의미 부여 30%)

6:52/21:00

ITube

구독자 주체 30%
자신 주체 70%

(채널 목표, 방향, 의미 부여 70%)

6:52/21:00

나튜버 20가지 시스템!

0. 나사(나튜브 사명감), 목표, 방향 정하기

1. 유튜브 계정 만들기

2. 채널 이름 정하기

3. 채널 만들기 (개인 계정, 브랜드 계정)

4. 채널 아트, 프로필 사진, 로고

   (집 외부 인테리어, 현관문, 사람 얼굴)

5. 영상 콘셉트, 기획 1

6. 영상 콘셉트, 기획 2

7. 촬영

8. 편집 프로그램

9. 편집

10. 영상 업로드

11. 영상 업로드 1년 목표 50개 / 100개

12. 홍보

13. 시청 시간 늘리기, 구독자 늘리기, 조회 수 늘리기 채널 성장

14. 돈은 무조건 번다. 연결하는 방법을 모를 뿐! 유튜브 멘탈 1

15. 돈은 무조건 번다. 연결하는 방법을 모를 뿐! 유튜브 멘탈 2

16. 왕관을 쓰려는 자 그 무게를 견뎌라! 유튜브 멘탈 3

17. 악성 댓글 차단 활용!

18. 유튜브 슬럼프, 유튜브 권태기 변화하지 않는 신의 벌칙!

19. 자신 분야 최소의 비용으로 최고의 효과 유튜브 플랫폼

20. 유튜브는 내 인생의 천재일우

0. 나사(나튜브 사명감), 목표, 방향 정하기

- 나튜브 사명감

1) 구독자 한 명은 250명과 같고 100년 함께 할 사람.

구독자 1명은 숫자 1이 아니라 사람이다. 평균적으로 한 사람이 직접적, 간접적으로 알고 있는 인맥이 250명이라고 한다. 그래서 구독자 1명은 숫자 1이 아니라 250명이라는 태도를 가져야 한다. 구독자 1명을 직접적으로 만남을 이어가는 사람이 아니다 보니 숫자 1로 대할 수도 있다. 하루만에도 구독자가 몇 명, 몇 십명, 몇 백 명... 몇 만이 줄었다가 늘었다가를 반복하다 보니 구독자 1명이 사소하게 느낄 수도 있다.

필자가 말하고 싶은 핵심은 구독자를 인간관계처럼 한 명, 한 명에게 최선을 다하기가 어렵기 때문에 자신 콘텐츠를 만드는데 정성(정성이 느껴지는 콘텐츠 준비, 정보 전달, 자료 수집, 기획, 제작)을 다하는 태도가 간접적으로나마 구독자 한 명, 한 명에게 최선을 다하는 것이다.

구독자가 몇 명 되지 않을 때는 "구독자님 한 분, 한 분 너무 소중하고 감사합니다. 평생 함께하겠습니다. 좋아요! 구독! 알람 설정! 해주세요."라고 입 서비스를 한다. 시간이 흘러 1년도 해보지 않고 자신 유튜브 구독자가 늘지 않고 조횟수도 안 나오다 보니 "평생 함께하겠다."
는 말은 쌈 싸먹어버리고 공지도 없이, 아무 말도 없이
하루 아침에 유튜브 채널을 삭제해 버리고 팔아 버린다.

자신이 자신 유튜브 채널을 삭제한다는데 판다는데 누
가 말리겠는가? 하지만 자신 유튜브 구독해준 사람들에
게 최소한의 예의를 지켜야한다. 사소한 것을 보면 그
사람 인간성, 인성, 성품이 나오듯 마지막을 더 잘 해야
만 그 사람 기억이 긍정으로 남는 것이다. 아무리 잘 해
도 마지막을 못하면 평생 부정의 기억이 남는 것이다.
자신 채널을 구독해준 분들에 대한 도리다. 유튜브는 간
접적인 인간관계이다. 끝마무리를 잘해야만 최고의 인간
관계다.

"구독자 1명은 숫자 1이 아니라 250명이라는 태도로 콘
텐츠 제작 하는데 정성을 다하자"라는 태도가 유튜브가
아닌 나튜브 사명감이다. 변화는 있어도 변함은 없어야
한다. 초심은 잃지 말고 어제보다 0.1% 변화, 나음, 성
장이 있어야 한다.

▶ ITube 나튜버 20가지 시스템!

0. 나사(나튜브 사명감 = 목표, 방향 정하기)

1) 구독자 한 명은 250명과 같고 100년 함께 할 사람.

조 지라드 250:1법칙 (기네스북에 오른 전설의 판매왕)
한 사람이 미칠 수 있는 인간관계의 범위가 평균 250명이다.
한 사람의 고객에게 신뢰를 얻으면 250명의 잠재고객이 생긴다.
한 사람의 고객에게 신뢰를 읽으면 250명의 잠재고객이 사라진다.
한 사람을 250명 대하듯 노력하라!

유튜버 자신 "혼자 잘 되자"라는 콘텐츠가 아니라 "함께 잘 되고 잘 살자"라는 콘텐츠를 제작하는 나튜버가 되어야 한다.

리더 자신 전문 분야만큼은 그 누구보다 전문가이기에 노하우를 퍼준다는 마음으로 나튜버를 해야 한다. 영상을 보다 보면 "이 유튜버는 이 채널은 너무 유용해 도움이 많이 된다. 하나라도 도움 주려고 애쓴다. 함께 잘 되기를 바라는 콘텐츠를 만든다."라는 느낌을 주는 영상이 있는 반면에 "이 유튜버는 이 채널은 자극적이고 긍정적인 콘텐츠보다는 부정적인 콘텐츠가 많다. 너무 상술이 많고 이기적인 콘텐츠다."라는 느낌을 주는 영상이 있다.

필자의 채널 <방탄자기계발>에서는 자자자자멘습긍(자존감, 자신감, 자기관리, 자기계발, 멘탈, 습관, 긍정)콘텐츠를 통해 "함께 잘 되고 잘 살자"라는 나튜브 목표, 방향이 있다. 20,000명 심리 상담, 코칭 하면서 알게 된 사람들의 걱정, 고민, 우울, 극단적인선택, 인간관계, 자기계발, 사랑, 자녀, 부부관계...등을 제작한 영상 콘텐츠를 보고 사람을 살리는 경우도 있었다.

나의 1%는 누군가에게는 살아가는 이유 100%가 될 수

있기에 나튜버는 나의 1개의 영상 콘텐츠가 누군가에게
는 살아가는 이유 100%가 될 수 있다는 마음으로 해야
한다.

> ▶ ITube **나튜버 20가지 시스템!**
>
> **0. 나사(나튜브 사명감 = 목표, 방향 정하기)**
>
> **3) 내 분야 전문성을 올리는 최고의 학습 도구.**

세상에는 세 부류의 전문가가 있다!

 첫 번째, 개나 소나 닭이나 전문가. 경력만 있고 말만 하며 전문가라는 자료를 보여 줄 것이 없다. 매뉴얼, 시스템이 없는 전문가.

 두 번째, "이 정도면 됐다." 전문가. "내 분야에서는 더 이상 배울 게 없어. 나 보다 잘하는 사람, 더 아는 사람 없어. 내가 최고다."라는 태도로 10년 전에 했던 방법을 고집하면서 배움, 변화, 성장하지 않는 전문가.

 세 번째, "내가 공부하고 알고 있는 게 틀릴 수 있다." 전문가. 책 출간으로 매뉴얼, 시스템을 만든다. 거짓 정보, 가짜 정보, 사기성 정보들이 너무도 많기에 한 분야 전문가로서 선한 영향력을 끼치기 위해 유튜브에 노하우를 오픈한다. 영상물 하나 올리더라도 몇 번의 검증 된 정보, 자료 수집을 해서 영상 업로드 한다.

※. 세상에는 세 부류의 전문가가 있다!

첫 번째, 개나 소나 닭이나 전문가.

경력만 있고 말만 하며 전문가라는 자료를 보여 줄 것이 없다. 매뉴얼, 시스템이 없는 전문가

두 번째, "이 정도면 됐다." 전문가.

"내 분야에서는 더 이상 배울 게 없어. 나 보다 잘하는 사람, 더 아는 사람 없어. 내가 최고다."라는 태도로 더이상 배우려 하지 않고 시대가 변해 가는데도 10년 전

에 했던 방법을 고집하면서 배움, 변화, 성장하지 않는 전문가.

세 번째, "내가 공부하고 알고 있는 게 틀릴 수 있다." 라는 태도가 있는 전문가. 아인슈타인이 말했던 "어제의 지식은 쓰레기다."라는 말이 뼈저리게 느껴지는 지금 시대(포노사피엔스 시대, 4차 산업 시대, AI 시대, 5G ~ 10G 시대, 메타 버스 시대, 챗GPT 시대)다. 하루만에도 어마어마하게 쏟아지는 데이터, 정보들이 많기에 어제 알고 있던 것이 오늘 틀릴 수도 있다. "이 정도면 됐다."라는 말을 가장 무서워해야 한다.

자신 분야를 더 다듬어서 설명을 잘하기 위해서는 자신 전문 분야 책을 출간하여 매뉴얼, 시스템을 만들어야 한다. 더 나아가 거짓 정보, 가짜 정보, 사기성 정보들이 너무도 많기에 한 분야 전문가로서 선한 영향력을 끼치기 위해 유튜브에 노하우를 오픈한다. 영상을 하나 올리더라도 몇 번의 검증 된 정보, 자료 수집을 해서 영상 업로드 한다.

필자는 7G(출판사 대표, 작가, 심리상담사, 코칭 전문가, 강사, 유튜버, 한집의 가장)직업을 가지고 있다. 7G 직업의 연관된 영상을 업로드하기 위해서 영상 하나, 하나에 대한 준비, 기획, 학습, 자료 수집을 하고 있다.

단언컨대 자신 분야 최고의 학습 도구는 유튜브라고 할수 있다. 앞에서도 말했듯이 유튜브를 하면서 필자의 전문 분야 준비, 기획, 학습, 자료 수집을 통해 100권의 책을 출간했다는 것이다. 유튜브를 하지 않았다면 100권의 책은 다음 생애나 가능했을 것이다. 그래서 나튜브 코칭 할 때도 채널 목표, 방향성을 자신이 하고 있는 분야와 연결을 시켜야만 의미부여, 동기부여가 되어 돈(수익 창출 조건 구독자 4,000명/1년 동안 시청 시간 4,000시간)이 발생하지 않더라도 오래 지속 할 수 있는 것이다.

유튜브를 오래 지속 못하는 사람들 특징 중 하나는 "이런 제길 6개월, 1년... 해봤는데 돈이 안 되네. 도움 되는 게 하나도 없네. 시간 낭비다. 나 안 해."라는 목표, 의미부여, 동기부여를 했기 때문에 지속적으로 못하는 것이다.

유튜브를 오래 지속 하는 사람들 특징 중 하나는 "유튜브 자체로는 돈이 되지는 않지만 내 분야와 연결이 되어 삼성(진정성, 전문성, 신뢰성)이 검증된 영상으로 고객 연결, 업체들에게 상담 의뢰, 협업 의뢰, 강의 섭외,

코칭 문의, 제품 문의, 제품 판매(온라인, 오프라인), 책 출간, 책 판매, 책 홍보, 환자 유치, 병원 홍보, 각 전문 분야 올바른 정보 전달, 온라인 콘텐츠 커리큘럼 제작, 디지털 콘텐츠 커리큘럼 제작, 직접적으로 만날 수 없는 사람과의 연결, 자신 분야를 세계적으로 홍보가 되는 플랫폼... 등 전문 분야 공부를 통해 지식을 업데이트할 수 있게 해준다."라는 목표, 의미부여, 동기부여를 하기 때문에 오래 지속하게 만든다.

간단하게 정리를 해주겠다. 유튜브를 하는 이유가 오로지 한 가지 돈만 벌기 위한 것이냐? 유튜브를 하는 이유가 돈도 있지만 자신 분야와 연결 시켜 5가지 ~ 10가지 의미부여, 동기부여를 만드느냐에 따라서 유튜브 수명이 달라진다는 것이다.

앞에서 언급 했듯이 필자가 유튜브를 7G(출판사 대표, 작가, 심리상담사, 코칭 전문가, 강사, 유튜버, 한집의 가장)직업과 연결 시켜 돈, 변화, 성장, 꿈, 비전, 전문 분야 삼성(진정성, 전문성, 신뢰성)UP, 행복... 등을 만들었던 것을 참고해서 벤치마킹하자.

유튜브를 하는 목표, 의미부여, 동기부여가
돈 버는 것만 있으면 1년 안에 100% 그만둔다!

유튜브를 하는 목표, 의미부여, 동기부여가
돈 외에 자신 분야와 연결이 되는 것이 있어야 100% 오래 한다!

YouTube

ITube

구독자가 늘지 않네?
조횟수가 안 나오네?
돈을 못 버네! 도움 되는 게 없다!
시간 낭비다! 때려 처!

구독자, 조횟수는 안 좋아서 유튜브 자체로는 돈이 되지 않지만 7G(출판사 대표, 작가, 심리 상담사, 코칭 전문가, 강사, 한집의 가장)직업과 연결하니 도움되는 게 많아지고 돈도 번다!

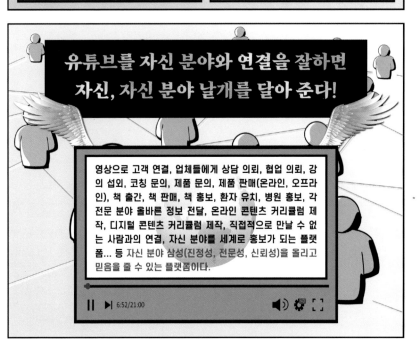

유튜브를 자신 분야와 연결을 잘하면
자신, 자신 분야 날개를 달아 준다!

영상으로 고객 연결, 업체들에게 상담 의뢰, 협업 의뢰, 강의 섭외, 코칭 문의, 제품 문의, 제품 판매(온라인, 오프라인), 책 출간, 책 판매, 책 홍보, 환자 유치, 병원 홍보, 각 전문 분야 올바른 정보 전달, 온라인 콘텐츠 커리큘럼 제작, 디지털 콘텐츠 커리큘럼 제작, 직접적으로 만날 수 없는 사람과의 연결, 자신 분야를 세계로 홍보가 되는 플랫폼... 등 자신 분야 삼성(진정성, 전문성, 신뢰성)을 올리고 믿음을 줄 수 있는 플랫폼이다.

리더는 유튜브가 아닌 나튜브!

자신 분야
삼성(진정성, 전문성, 신뢰성)을 높여
온라인 건물주!

유튜브는 자신 100년 인생 파이프라인!

▶ 파이프라인: 시간, 환경 제약 없이 지속적인 소득이 일어난다!

지금 시대 유튜브 선택이 아닌 필수

자신 분야를 무한으로 연결시켜 준다!

최보규
리더 유튜브코칭 전문가
유튜브 도구 활용!

| 몰값 상승 감출된 전문가 | 디지털콘텐츠 (월세) | 온라인콘텐츠 (연금성) | 자신 분야 코칭, 컨설팅 | 책(인세) | 책 출판 | 강사 | 사람 연결 | 자신분야 연결 | 가능성 |

 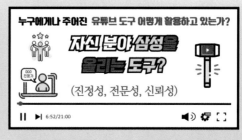

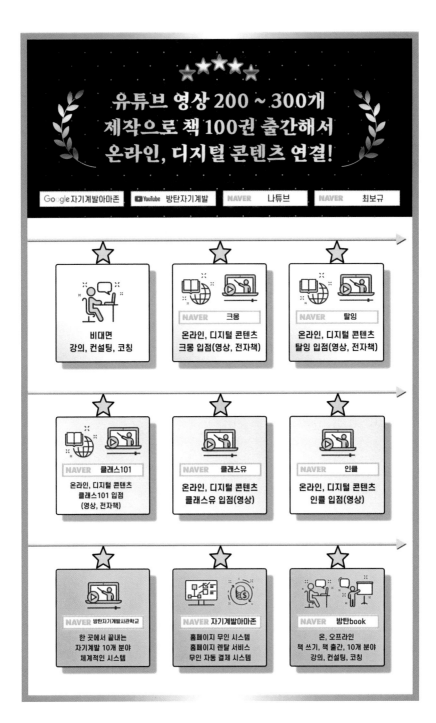

유튜브 영상 200 ~ 300개
제작으로 책 100권 출간해서
온라인, 디지털 콘텐츠 연결!

Google 자기계발아마존　▶YouTube 방탄자기계발　NAVER 나튜브　NAVER 최보규

비대면
강의, 컨설팅, 코칭

NAVER 크몽
온라인, 디지털 콘텐츠
크몽 입점(영상, 전자책)

NAVER 탈잉
온라인, 디지털 콘텐츠
탈잉 입점(영상, 전자책)

NAVER 클래스101
온라인, 디지털 콘텐츠
클래스101 입점
(영상, 전자책)

NAVER 클래스유
온라인, 디지털 콘텐츠
클래스유 입점(영상)

NAVER 인클
온라인, 디지털 콘텐츠
인클 입점(영상)

NAVER 방탄자기계발사관학교
한 곳에서 끝내는
자기계발 10개 분야
체계적인 시스템

NAVER 자기계발아마존
홈페이지 무인 시스템
홈페이지 렌탈 서비스
무인 자동 결제 시스템

NAVER 방탄book
온, 오프라인
책 쓰기, 책 출간, 10개 분야
강의, 컨설팅, 코칭

유튜브 영상 200 ~ 300개
제작으로 책 100권 출간하여
온라인, 디지털 콘텐츠 연결 시켜
50층 온라인 건물주!

Google 자기계발아마존	▶YouTube 방탄자기계발	NAVER 나튜브	NAVER 최보규

온라인 플렛폼 디지털 플렛폼	온라인, 디지털 콘텐츠 수입 발생 (무인 시스템)	100년 월세, 연금 발생
자기계발아마존 1층 ~ 3층	온라인 건물주 되는 자격증 교육! 온라인 강사코칭전문가2급 온라인 자기계발코칭전문가2급 / 리더십코칭전문가2급 자존감, 멘탈, 습관, 행복, 사랑, 웃음, 강사, 책쓰기, 유튜버, 리더십 10개 분야 코칭 / 영상 / 전자책	자격증, 재교육, 강사섭외 코칭, 종이책 전자책 수입 발생
클래스유 4층	자신 분야 삼성(진정성, 전문성, 신뢰성)을 높여 제2수입, 3수입 올리는 방탄자기계발 재태크 / 영상	영상, 자격증, 강사섭외, 코칭 종이책, 전자책 수입 발생
클래스101 5층 ~ 15층	강사 분야, 사랑 분야, 습관 분야, 자존감 분야 행복 분야, 자기계발 분야 영상 원포인트 클래스 / 전자책	영상, 강사섭외, 코칭 종이책, 전자책 수입 발생
크몽 16층 ~ 22층	강사 분야, 사랑 분야, 습관 분야 자존감 분야, 행복 분야, 자기계발 분야 영상 / 코칭 / 전자책	영상, 자격증, 강사섭외, 코칭 종이책, 전자책 수입 발생
탈잉 23층 ~ 25층	자존감 분야, 습관 분야, 행복 분야 영상 / 전자책	강사섭외, 코칭 종이책, 전자책 수입 발생
인클 26층	4차 산업시대는 4차 자기계발인 방탄자기계발 재태크 / 영상	영상, 자격증, 강사섭외, 코칭 종이책, 전자책 수입 발생
온라인 서점 디지털 서점 27층 ~ 50층	출간 한 31권 자기계발서 종이책 , 전자책	검증된 전문가 강사료 10배 상승

4) 영상 하나는 10억의 가치, 작품을 만든다.

영상 하나하나에 정성을 다할 때 가치가 달라지는 것이다. 유튜브를 보는 사람들이라면 가치가 느껴지는 영상들은 이런 생각이 든다. "영상 퀄리티가 높네, 정성이 들어갔다. 비슷한 채널에서는 대충 만드는데 이 채널은 진정성이 느껴진다. 구독, 좋아요! 안 누를 수가 없네. 커피라도 한잔 사주고 싶다. 돈 주고 봐야 되는 영상인데 공짜로 보게 돼서 정말 고맙고 오래 했으면 좋겠다. 영상에서 삼성(진정성, 전문성, 신뢰성)이 느껴진다."

가치가 느껴지지 않는 영상들은 이런 생각이 든다. "영상 퀄리티가 내성적이다. 영상이 흐리멍텅하고 선명하지도 않고 촌스럽네. 이런 영상은 나도 만들겠다. 정성이 보이지 않네. 말투가 거북스럽고 목소리도 작아서 들리지도 않네. 자신감도 없고, 열정도 느껴지지 않고, 재미도 없는 게 영상 시간은 더럽게 길어. 유튜브 왜 하나? 때려 쳐라."

유튜버들이 당연히 영상 하나를 만드는 마음만은 누구나 10억 가치, 작품이라는 마음으로 만들고 싶을 것이다. 필자는 2023년 기준 유튜버 5년 차이다. 솔직히 말을 하면 필자도 2년(영상 100개 ~ 200개 제작)차 까지는 10억의 가치, 작품이라는 태도로 만들지 못했다.

2년(영상 100개 ~ 200개 제작)차 후부터 가치, 작품이라는 태도를 알게 되었다. 지금 이 책을 보는 당신의 이런 궁금증이 들 것이다. "최보규 리더유튜브 전문가님은 2년 차까지는 가치, 작품이라는 태도를 모르다가 2년 차가 되서야 알게 되었을까?" 속으로 이런 생각을 했을 것이다. "최보규 리더유튜브 전문가님은 어떻게 이 책을 보고 있는 내가 무엇을 궁금해 하는지를 다 알 수 있는 거지?"

20,000명 심리 상담, 코칭 경력, 전문 분야 자기계발서 100권 출간, 습관 320가지 만듦, 강의 6,000회 이상 경력의 내공이 있기 때문에 알 수 있는 것이다.

필자가 2년(영상 100개 ~ 200개 제작)차 후부터 영상 하나는 10억의 가치, 작품이라는 태도를 알지 못했던 이유는 2년 차까지 누구 하나 알려준 사람이 없고 말해주는 사람이 없었다는 것이다. 필자가 유튜브 관련 책 50권, 유튜브 시작하는 방법 영상 200개를 봤는데도 가치, 작품이라는 태도를 말하는 사람을 본 적이 없었다는 것이다. 한 마디로 배우지 못했기 때문에, 듣지 못했기 때문에 2년 차까지 하나의 영상은 10억의 가치, 작품이라는 태도가 없었다는 것이다. 그럼 어떻게 필자가 2년 (영상 100개 ~ 200개 제작)차 후부터 영상 하나는 10

억 가치, 작품이라는 태도를 알게 되었을까? 누구에게 배워서? 누구에게 말을 들어서? 아니다! 한 가지를 잘해서 깨달았다고 말을 할 수는 없다. 2년(영상 100개 ~ 200개 제작)차까지 제작한 영상 기획, 편집, 유튜브 시작 하는 방법 영상 200개 시청, 유튜브 관련 책 50권 독서, 책 몇 십 권 출간, 영상 하나 올리기 위한 시간 투자, 2년 차 동안 시행착오, 대가 지불, 인고의 시간... 등이 쌓여 내공이 되어 스스로 깨달았다는 것이다.

가장 큰 도움을 받은 사람은 우주에서 가장 사랑하는 아내이다. 아내의 유튜버 내조가 없었다면 최보규 방탄 자기계발 전문가의 모든 결과물들은 다음 생애나 가능했을 것이다. 아내는 필자의 행복조물주, 성공조물주, 스승, 멘토, 인생 내비게이션이다. 세상에서 가장 존경하는 사람은 아내다. 아내 은혜에 보답하기 위해 세계 최초 남편 13계명을 만들었다. 아내에 대한 마음이 거짓인지 진심인지는 <클래스101>에 있는 VOD 방탄사랑 검색해서 확인하길 바란다.

다시 돌아와서 유튜브가 아닌 나튜브 코칭을 할 때 늘 하는 말이 있다. "구독자 수, 돈(수익 창출), 조횟수에 자신의 가치를 두지 말고 영상 하나 하나에 가치, 작품 이라는 태도를 가지면 구독자 100만 명을 가지고 있는 사람을 만나더라도 주눅이 들지 않고 부럽지가 않다."

세상 모든 일이 마찬가지다. 자신이 하는 일, 자신 분야 가치를 자신이 무시하면 그 누구도 가치를 올려 주지 않는다. 자신의 가치를 어떻게 올리는지 알려주는 《확신》,《나다운 방탄리더십 5》 책의 가치 스토리텔링을 보고 자신 가치를 높이는 계기를 만들기 바란다.

카페에 피카소가 앉아 있었습니다. 한 손님이 다가와 종이 냅킨 위에 그림을 그려 달라고 부탁했습니다. 피카소는 상냥하게 고개를 끄덕이곤 빠르게 스케치를 끝냈습니다. 냅킨을 건네며 1억 원을 요구했습니다. 손님이 깜짝 놀라며 말했습니다. 어떻게 그런 거액을 요구할 수 있나요?
그림을 그리는 데 1분밖에 걸리지 않았잖아요. 이에 피카소가 답했습니다. 아니요. 40년이 걸렸습니다.

냅킨의 그림에는 피카소가 40여 년 동안 쌓아온 노력, 고통, 열정, 명성이 담겨 있었습니다. 피카소는 자신이 평생을 바쳐서 해온 일의 가치를 스스로 낮게 평가하지 않았습니다.

《확신》

철(사람)은 가공(시행착오, 대가 지불, 인고의 시간)을 통해 가치가 올라가 쓰임새가 달라진다. 20,000명 심리 상담, 코칭하면서 각자 가치가 있지만 가치를 어떻게 다듬냐에 따라 가치, 몸값이 달라진다는 것을 알았다.

철(사람)이라는 가치가 있다.

철(사람)은 가공(시행착오, 대가 지불, 인고의 시간)을 통해 가치가 올라가 쓰임새가 달라진다.

철(사람)을 가공(시행착오, 대가 지불, 인고의 시간)하지 않고 그대로 두면 녹슬어 가치, 가격이 낮아져 고물 취급을 받는다.

철(사람)을 못으로 가공(시행착오, 대가 지불, 인고의 시간)하면 철의 가치, 가격은 10배 상승한다.

철(사람)을 바늘로 가공(시행착오, 대가 지불, 인고의 시간)하면 철의 가치, 가격은 100배 상승한다.

철(사람)을 명검으로 가공(시행착오, 대가 지불, 인고의 시간)하면 철의 가치, 가격은 부르는 게 값이다.

사람은 누구나 가치가 있다. 가치를 가공하지 않으면 가치는 떨어지고 녹슨다.

자신의 가치를 어떤 사람을 만나서 가공하냐에 따라 자신의 가치, 몸값은 달라진다.

자신의 가치, 스펙, 삼성(진정성, 전문성, 신뢰성)을 올려야만 가치가 높아지는 것이다. 리더, 코칭 전문가, 교육자(강사, 교수, 선생님), 말하는 직업을 가지고 있는 사람들은 일반 사람들 보다 자신의 가치를 높여야 한다. 자신의 가치를 다듬을 줄 알아야만 학습자의 가치를 다듬어 줄 수 있다. 리더 코칭 전문가 가치를 다듬는 도구는 리더 자존감, 리더 멘탈, 리더 습관, 리더 행복, 리더 자기계발이다.

《나다운 방탄리더십 5》

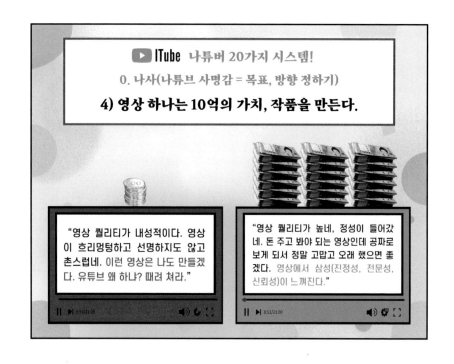

5) 배워서 남 주자! 삼성(진정성, 전문성, 신뢰성)

힘들게 배워서 왜 남을 줘야 할까? 받은 것도 없는데 왜 주어야만 할까? 특히 시행착오, 대가 지불, 인고의 시간을 통해서 배운 지식, 경험, 자신 분야의 노하우 (30%)들을 유튜브 콘텐츠를 제작해서 영상으로 오픈해야 할까? 어떤 도움이 된다고? 광고비를 바로 받는 것도 아닌데? 배워서 남 주자! 말은 철저하게 자신에게 도움이 되기 때문이다. 도움이 되는 것이 아닌 1조의 가치가 있기 때문이다. 배워서 남 주는 것이 1조의 가치가 있는 것인지 자세히 설명 들어간다. 집중! 집중!

학습 피라미드란?

학습 피라미드 하나만 제대로 이해해도 한국 교육이 바로 설 것이다. 1950년대 러시아 인공위성 스프트니크호 발사에 충격받은 미국은 미래를 책임질 인재 양성을 위해 학생들의 학업 성취도를 높일 수 있는 효과적인 공부 방법에 대한 다양한 연구를 진행했다. 연구 중에는 학습 피라미드를 통해 가장 효과적인 공부 방법을 제시한 연구가 있었다. 미국 MIT 사회심리학자 레윈의 응용행동과학 연구소에서 발표한 학습 피라미드는 외부 정보가 우리의 두뇌에 기억되는 비율을 학습 활동별로 정리해둔 것이다. 즉, 학습 피라미드는 다양한 방법으로 공부한 다음에 24시간 후에 남아 있는 비율을 피라미드로 나타낸 것이다. 이 피라미드를 보면 강의 전달 설명은 5%, 읽기는 10%, 시청각 교육은 20%, 시범이나 현장 견학은 30%의 효율성을 갖는다. 우리가 학교나 학원에서 교사가 강의를 통해 설명하는 교육은 5%에 불과하고, 학생들이 책상에 앉아 열심히 읽으면서 공부하는 것이 10%, 그렇게 강조한 시청각 교육은 20%에 불과하다.

그런데 모둠 토론은 50%, 직접 해보는 것은 75%, 다른 사람을 가르치는 것은 90%의 효율성을 갖는다. 이것은 친구를 가르치는 것으로 1시간 공부한 사람과 동일한 효과를 얻으려면 혼자 책을 보면서 하면 9시간, 강의는 18시간을 들어야 한다.

친구를 가르치는 공부는 강의를 듣는 공부의 18배의 효율성을 갖는다. 유대인이나 핀란드 교육이 우리보다 공부를 덜 하고도 성공하는 이유는 이런 공부의 효율성 때문이다. 우리는 강의와 설명을 듣고, 읽으면서 외우는 수업이 대부분이지만, 유대인이나 핀란드는 직접 해보고 친구와 토론하면서 서로를 가르친다. 여기서 가장 큰 문제는 교사가 학교에서 강의와 설명 방식으로 수업하면 누가 공부를 하느냐 하는 것이다. 교사가 학생들을 가르치면 다른 사람을 가르치기가 되므로 교사는 24시간 후에도 90%가 남는다. 하지만 그것을 듣고 있는 학생들은 24시간 후에 5%밖에 남지 않는다. 그러면 2일~3일,

1주일 후에는 어떻게 될까? 가르칠수록 자신감을 갖게 되는 이유는 여기에 있다. 교사는 강의할수록 중요한 것이 무엇인지 알게 되고, 내용의 체계와 논리가 잡히게 된다. 교사가 자신감이 생기고 논리와 체계를 갖출수록 그것을 이해하지 못하는 학생들이 답답해 보인다. 그래서 교사의 설명과 강의를 들은 학생들은 다시 학원에서 공부해야 하고, 참고서를 봐야 하고, 노트 필기한 것을 읽어야 한다. 그런데 그렇게 외운 지식들도 오래가지 못하고 시험을 보고 나면 다 잊어버린다.

《최고의 공부법:유대인 하브루타의 비밀》

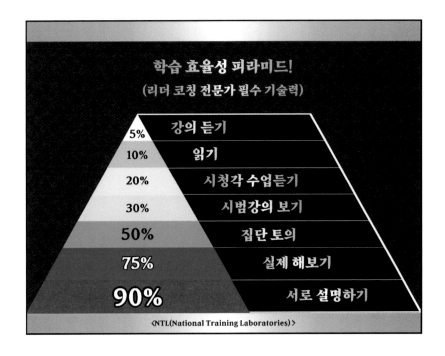

학습 효율성 피라미드!
(리더 코칭 전문가 필수 기술력)

5%	강의 듣기
10%	읽기
20%	시청각 수업듣기
30%	시범강의 보기
50%	집단 토의
75%	실제 해보기
90%	서로 설명하기

〈NTL(National Training Laboratories)〉

학습 피라미드 요약을 하면 이렇다. 강의 듣기 5%, 읽기 10%, 시청각 교육 20%, 시범이나 현장 견학 30%, 토론 50%, 직접 해보기(연습)75%, 가르치기 90%의 효율성을 갖는다. 한마디로 코칭 전문가는 설명하는 사람이다. 그래서 최단기간 코칭법을 학습, 연습, 훈련하는 방법은? 코칭을 많이 해야 하고 많이 설명해 봐야 한다. 설명을 잘하려면 어떻게 해야 할까? 알고 있는 것이 많아야 한다. 그래서 코칭 전문가(품위유지의무)10계명 중 1계명인 꾸준한 학습을 해야 하고 상담사의 전문적인 지식 이외에도 사람들이 평균적으로 물어보는 상담 스킬 학습도 해야 한다. 사람을 직접적으로 상대를 하는 직업을 가지고 있는 코칭 전문가, 리더, 영업, 말하는 직업을 가지고 있는 사람들은 사람의 기본 심리 공부를 해야 한다. 필자(최보규 방탄코칭 전문가)가 하고 있는 코칭기법, 상담기법을 향상 시키고 있는 방법을 오픈 하겠다. 참고해서 나다운 코칭기법, 상담기법을 향상시키기 바란다. 재능 기부 코칭, 무료 상담을 14년(20,000명 심리 상담, 코칭), 한달 15권 책 읽기(14년간 2,000권 독서), 습관 304가지 만듦, 코칭 받은 사람들 150년 A/S, 피드백, 관리해주고 있다. 학습 효율성 피라미드 기술력이 있기에 우주 최강 책임감으로 150년 A/S, 피드백, 관리를 해줄 수 있는 것이다.

《나다운 방탄리더십 3》

"배워서 남 주자!" 태도가 있어야 하는 이유는 다른 사람을 가르치는 것은 90%의 효율성을 가지기에 하나의 유튜브 영상을 제작한다는 것은 영상에서 나오는 모든 것들이 간접적으로 가르치는 것과 같다는 것이다. 그래서 유튜버 자신이 자신 분야 공부를 더 하기에 1조의 가치가 있다고 하는 것이다. 전문가가 되면 자신 분야를 더 공부한다는 게 얼마나 어려운지 아는가? 한 분야 전문가가 되면 사람의 기본적인 심리인 "이 정도면 됐다. 내 분야에서 나보다 잘하는 사람 없어. 나만큼 아는 사람 없어. 내가 최고다."라는 "알다 병"이 생겨 배우려 하지 않는다.

20,000명 심리 상담, 코칭 하면서 뼈저리게 느끼는 것이 있다. 사람이 30년 살면 바뀌지 않는 가치관이 생기고 60년을 살면 신도 바꿀 수 없는 가치관이 형성된다는 것을 알게 되었다. 하나 더 추가하면 한 분야 20년 이상 경력이 있으면 100년 경력자도 바꿀 수 없는 가치관이 생긴다.

《나다운 방탄리더십 5》

20,000명 심리 상담, 코칭을 해보면 이런 전문가도 있다. "솔직히 내 분야 노하우(10~30%)를 오픈한다는 것이 너무 아깝습니다. 시행착오, 대가 지불, 인고의 시간,

욕 먹어 가면서 배운 것들인데... 영상으로 오픈한다는 것이 내 노력을 도둑맞는 것 같아서 노하우를 오픈하기가 쉽지 않습니다. 같은 분야 종사자들이 알게 되면 경쟁상대에게 힘을 실어 주는 것 같아서 배 아파서 오픈 못 하겠습니다." 이런 마음 필자도 있었다. 그 마음을 몰랐다면 나튜브 책을 집필하지 못했을 것이다. 필자의 "배운 거 배 아파서 못 줘" 정신을 "배워서 남 주자" 정신으로 바꿀 수 있었던 것은 삼성(진정성, 전문성, 신뢰성)이다. 삼성(진정성, 전문성, 신뢰성)?

삼성(진정성, 전문성, 신뢰성)이라는 10조의 가치가 있는 어마어마한 것을 창시한 사람이 우주에서 가장 사랑하는 최보규 리더유튜브 코칭 전문가 아내이다. (우주에서 가장 사랑하는 여보 다시 한 번 고마워! 잘할게!)

필자가 "배운 거 배 아파서 못 줘 정신"을 "배워서 남 주자" 정신으로 바꿀 수 있었던 것이 삼성(진정성, 전문성, 신뢰성)인 이유를 설명하겠다.

10년 전만 해도 한 분야 전문가라면 10년 이상 경력만 있어도 인정을 해주고 별다른 검증이 없더라도 전문가라고 했다. 하지만 지금 포노사피엔스(스마트폰 시대) 시대에는 전문성만 있다고 되는 것이 아니다. 직접 만나서 전문가를 판단 할 수도 있지만 간접적으로 영상,

책... 등으로 삼성(진정성, 전문성, 신뢰성)을 판단 할 수 있는 시대라는 것이다. 그래서 유튜브에 올리는 내 분야 영상 콘텐츠 하나하나가 내 분야 삼성(진정성, 전문성, 신뢰성)을 높여주는 최고의 플랫폼이라는 것을 알았기에 필자의 "배운 거 배 아파서 못 줘 정신"을 "배워서 남 주자" 정신으로 바꿀 수 있었던 것이다. 당연히 다른 이유들도 복합적으로 있었지만 가장 큰 이유가 삼성(진정성, 전문성, 신뢰성)을 높여주는 최고의 플랫폼이라는 것을 알았기에 가능했다는 것이다.

사람은 언제 삼성(진정성, 전문선, 신뢰성)을 느끼는지 아는가? 3개월(감정, 습관이 만들어지는 기간)을 직접적으로 만남을 가질 때 비로써 삼성(진정성, 전문성, 신뢰성)을 느낀다. 직접적으로 만날 수 없다면 간접적으로나마 세계인구 80억 명과 만날 수 있는 유튜브 플랫폼이라는 것이다. 내 전문 분야를 세계 80억 명에게 어떻게 알릴 수 있겠는가? 유튜브이기 때문에 가능하다는 것이다. 당연히 세계 인구 80억 명이 다 보지는 않는다. 하지만 80억 명이 볼 수 있는 플랫폼을 하고 있는 사람(0.1% 가능성)의 삼성(진정성, 전문성, 신뢰성)과 아예 하지 않고 있는 사람(0% 가능성)의 삼성(진정성, 전문성, 신뢰성)의 차이는 개미와 코끼리 차이다.

세계에 한인들이 790만 명이다. 자신 분야 유튜브 영상으로 연결이 되어 도움을 주고 도움을 받을지 그 누구도 모른다. 세계적으로 나가 있는 790만 명의 한인들과 연결이 되어 사업을 하고 제품을 팔고 서로 윈윈하는 경우도 많다는 것이다.

유튜브를 떠나서 인생을 살아가는 데 "배운 거 배 아파서 못 줘 정신"이 아닌 "배워서 남 주자" 정신은 자신 분야 삼성(진정성, 전문성, 신뢰성)을 올리고 자신, 자신 분야 가치를 높인다는 것을 명심하자!

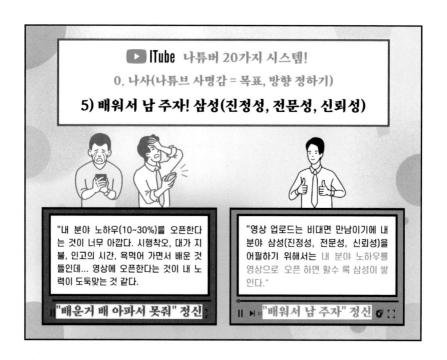

6) 1~2년 인스턴트 플랫폼이 아닌 100년 플랫폼.

인스턴트가 무엇인가? 혀에는 순간 달달하고 맛있지만 몸에는 1도 도움이 안 되는 음식이다.

유튜브는 자신 분야 콘텐츠를 제작해서 1~2년 맛만(대충하자 되면 더 하고 안 되면 말고)보고 끝내는 인스턴트 플랫폼이 아닌 자신 분야 콘텐츠를 제작해서 100년 동안 자신 분야 삼성(진정성, 전문성, 신뢰성)을 올릴 수 있는 플랫폼이다.

당연히 어떤 일이든 경험 차원에서 발만 담가보고 뺄 수도 있다. 하지만 20,000명 심리 상담, 코칭 하면서 알게 된 것은 유튜브만큼 100년 동안 자신 분야 삼성(진정성, 전문성, 신뢰성)을 올릴 수 있는 플랫폼은 없다. 시간이 지나면 유튜브보다 자신 분야 삼성(진정성, 전문성, 신뢰성)을 올릴 수 있는 플랫폼이 있을 수 있고 더 좋은 게 나올 수도 있다.

단언컨대 말하고 싶은 것은 지금 유튜브라는 디지털콘텐츠를 기본이라도 하지 못하면 다음의 나올 디지털콘텐츠를 따라 갈 수가 없다는 것이다. 기술은 날로 발전하고 더 업그레이되는데 자신, 자신 분야는 예전 하던 방식 그대로라면 살아남을 수 있겠는가? 정신 바짝 차려야 한다. 긴장해야 한다.

삶이, 세상, 현실...이 앞으로 더 힘들고 어려우면 어려웠지 덜하지는 않는다는 걸 모르는 게 아닐 것이다.

지금처럼 대충 살 거면 후회하지 말고 게으름을 누려라! 그것도 행복이다.. 하지만 후회할 거 같으면 지금처럼 대충 살지 말고 상담받아라!

7) 사람들의 꿈, 목표를 이루게 해주는 유튜버다.

필자의 채널 이름은 <방탄자기계발> 이다. 영상 업로드한 콘텐츠들은 20,000명 심리 상담, 코칭 하면서 알게 된 자자자자멘습긍(자존감, 자신감, 자기관리, 자기계발, 멘탈, 습관, 긍정)콘텐츠, 출간 한 책 100권 내용의 콘텐츠, 방탄자기계발사관학교 콘텐츠, 방탄book출판사 콘텐츠, 강사 콘텐츠, 코칭 콘텐츠, 습관 320가지 콘텐츠가 있다. 꿈, 목표를 이루면 누군가에게 꿈, 목표가 된다. 필자가 꿈, 목표를 이루었던 내용의 영상들을 보고 자신, 자신 분야에 접목을 시켜 자신의 꿈, 목표를 이루는 데 도움 준다.

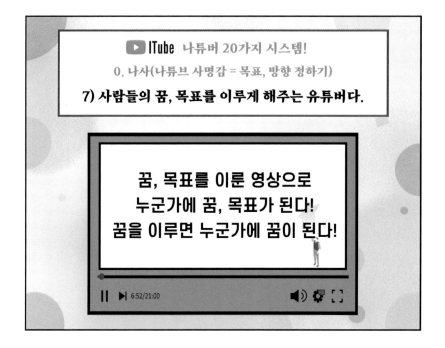

유튜브를 하는 유튜버는 공인이다. 많은 사람이 볼 수 있는 콘텐츠를 한다는 것은 사람들에게 직접적, 간접적이든 영향을 끼칠 수 있는 사람이다. 구독자가 1명이라도 있다면 공인이라는 태도를 가져야 한다. 말, 행동거지를 바르게 해야 된다는 것이다. 자신의 말과 행동하는 것들이 부정의 영향력, 긍정의 영향력을 끼친다는 것을 알아야 한다.

채널 분야, 채널 방향이 자신 삶과 다른 유튜버도 있겠지만 전문 분야를 하는 유튜버라면 자신이 말한 만큼 자신 삶에서 솔선수범해야 한다. 유튜버를 떠나서 말하는 직업을 가지고 있는 사람이라면 말한 만큼 솔선수범하는 것은 의무인 것이다. <방탄자기계발> 채널 운영하는 최보규 전문가는 "내가 좋은 사람이 되고 싶도록 만들어"라는 말을 들을 수 있는 영상 콘텐츠, 삶에서 보여줘야 한다.

9) 사람들에게 희망, 변화, 성장, 배움, 돈을 벌게 해주는 유튜버다.

업로드한 영상 콘텐츠들이 "혼자 잘 되고 잘 살자"콘텐츠가 아닌 "함께 잘 되고 잘 살자"콘텐츠가 많아야 한다. 그래서 구독자들이 "이 채널은, 이 유튜버는 함께 잘 되기 위한 콘텐츠를 올리네. 희망, 변화, 성장, 배움, 돈까지 벌 수 있는 방법까지 알려주는 유튜버네."라는 마음이 느껴지는 영상 콘텐츠를 올릴 수 있는 유튜버가 되어야 한다. 그러기 위해서는 리더 자신 분야 삼성(진정성, 전문성, 신뢰성)을 올리기 위한 학습, 연습, 훈련을 끊임없이 해야 한다.

▶ 나사(나튜브 사명감)

♥ 구독자 한 명은 250명과 같고 100년 함께 할 사람.
♥ 함께 잘 먹고 잘살자. 사람을 살리는 유튜버다.
♥ 내 분야 전문성을 올리는 최고의 학습 도구.
♥ 영상 하나는 10억의 가치, 작품을 만든다.
♥ 배워서 남 주자! 삼성(진정성, 전문성, 신뢰성).
♥ 1~2년 인스턴트 플랫폼이 아닌 100년 플랫폼.
♥ 사람들의 꿈, 목표를 이루게 해주는 유튜버다.
♥ 유튜버는 공인이다! 악영향이 아닌 선한 영향력을 주는 유튜버!
♥ 사람들에게 희망, 변화, 성장, 배움, 돈을 벌게 해주는 유튜버.

▶ 나사(나튜브 사명감)

단기간에 구독자, 조횟수
올리는 방법 알려주는 유튜버는 많다.
단언컨대
유튜버 100년 하는 방법 알려주는
유튜버는 세계에서 단 한 명
최보규 리더유튜브 코칭전문가뿐이다!

- 목표, 방향 정하기 (자신 분야 유튜브 채널 10개 이상 분석, 콘텐츠 방향, 책 3권 이상 보기)

자신 분야가 있어서 유튜브를 시작하는 사람이 있을 것이고 자신 분야가 없어 인기 있는 분야를 선택해서 시작하는 사람도 있을 것이다.

단순히 말하면 어떤 일이든 새로운 것을 시작하려면 사전 조사, 준비해야 한다.

중소기업청, 창업 진흥원에 조사한 창업 실태조사에 따르면 10명 중 8명은 관련 교육 한 차례도 받지 않았고 "묻지 마! 창업!"은 폐업의 지름길이다. 창업자들의 평균 준비 기간은 10.4개월, 자영업자의 생존 비율은 20%이며 매년 100만 명 중 80만 명이 문 닫는다. 최하 투자비용 푸드트럭 기준 600 ~ 1,000만 원이다.

유튜브도 창업과 비슷하다. 돈이 얼마나 들어갈 거 같은가? 사람마다 다르겠지만 0원으로 시작할 수도 있다.

그런데 사람들이 대부분 모르는 게 있다. 돈이 들어가는 액수만큼 경쟁률이 낮다는 것이다. 창업비용이 0원이라면? 경쟁률이 어떻겠는가? 당연히 어마어마하게 높고 결과 내기도 어마어마하게 어렵다는 것이다. 투자비용이 적게 들어간다고 좋은 게 아니라는 것을 알아야 한다. 그래도 희망은 있다! 희망? 자신 콘텐츠가 특이해서 운

좋게 떡상(갑자기 급상승하는 것) 되어 결과를 빠르게 만들 수도 있다. 그런 경우는 0.0001%라는 것을 알아야 한다. 자신이 평상시에 특이하게 살고 있지 않은데 어떻게 특이한 콘텐츠가 나오겠는가? 로또 확률 한방, 대박 정신으로 유튜브를 하면 안 되고 인생도 그렇게 살면 안 된다. 한방, 대박 좋아하면 인생 한방에 훅 가고 쪽박 찬다.

필자가 5년 전만 해도 유튜브 개나 소나 닭이나 다 한다는 인식이 있었고 앞에서도 언급했듯이 일하다 좀 힘들면 "유튜버나 할까?"라는 말이 유행할 정도였다.
그런데 지금은 어떤가? 개나 소나 닭들은 다 잡아 먹히고(잔챙이, 피라미, 호구, 게으른 사람들), 호랑이(연예인), 사자(방송사), 표범(한 분야 전문가), 코뿔소(의사, 변호사, 전문직)... 등에 강력한 콘텐츠가 있는 사람들에 사파리가 되었다.

지금은 유튜버 한다고 하면 전에는 "개나 소나 닭이나 하는 유튜버"에서 "이제는 아무나 못하는 유튜버"라는 인식이 바뀌었다는 것이다.

이런 유튜브 환경에서 "대충 한번 해볼까?" 이런 정신은 시간과 돈 낭비만 한다는 것을 명심해야 한다.

어떤 일을 새롭게 하더라도 준비가 필요하듯 가장 쉬운 준비는 시작하려는 분야 전문가의 피드백을 받는 것이다. 자신 분야 유튜브 채널 10개 이상 분석하면서 콘텐츠 방향을 잡아야 한다. 유튜브 책 3권 이상 보면서 지금 시대 유튜브 트렌드, 흐름을 파악하면서 자신 분야 채널 목표, 방향을 잡아야 하고 더 나아가 구독자가 많은 유튜버가 아니라 제대로(삼성이 검증 된 전문가: 진정성, 전문성, 신뢰성)하고 있는 유튜버 코칭 전문가에게 코칭을 받고 제대로 준비할 수도 있다.

리더여 어떤 느낌이 드는가? 나튜브 20가지 시스템 중에 0번인 나사(나튜브 사명감 / 목표, 방향 정하기)의 9가지 설명을 들으니 머리가 아프다 못해 "이런 XX, XX 욕 나오지 않는가? 유튜브를 하라는 거야 말라는 거야? 시작부터 정신교육, 의미부여, 동기부여가 너무 강한데? 스파르타 300이 아니라 스파르타 3,000인데?"라는 말이 나올 것이다.

단언컨대 지금 보고 있는 책이 "세계 최초" 유튜브 정신 교육 책이다. 수천 개 넘는 유튜브 교육 영상들, 시중에 나온 수많은 유튜브 책, 수많은 유튜브 교육자들이 말하지 못한 유튜브 정신교육 책이라는 것이다. 이 책을 보고 있는 당신 자부심을 가져도 된다.

이 책 제목을 기억하는가? 《리더는 유튜브가 아닌 나튜브 1, 2, 3》부 제목 유튜브 하면 1년 안에 그만두지만 나튜브 하면 150세까지 한다!

한마디로 일반 유튜버 책이 아니라 리더들을 위한 유튜버 책이라서 강력한 정신교육(동기부여)이 필요하다는 것이다. 일반 사람이라면 "대충하세요! 경험하기 좋잖아요. 해도 그만 안 해도 그만 정신으로 유튜버를 해도 된다."라고 말을 했을 것이다. 하지만 리더라면 경험도 대충 하면 안 된다. 시작하면 끝장을 본다는 마음으로 혼신의 힘을 다해야 한다. 온 정성을 다해도 될까? 말까? 인데 "좋았다면 추억이고 안 좋았다면 경험이다!" 이런 태도는 무책임한 리더라는 것이다.

리더는 가족, 팀원, 조직체원들, 조직체원들의 가족까지 책임져야 하는 위치에 있는 사람이다. 보통 사람들이 하는 말인 "좋았다면 추억이고 안 좋았다면 경험이다!" 이런 말에 위안 삼아 노오력하는 리더가 아니라 리더는올바른 노력을 해야 한다. 유튜브를 하기 위한 올바른 노력《리더는 유튜브가 아닌 나튜브 1, 2, 3》책이 나튜브 20가지 시스템이라는 것이다.

리더가 처음부터 제대로 배워야만 제대로 된 인재를 양성할 수 있다. 인재가 오길 바라지 말고 인재를 양성할 수 있는 시스템을 만들어야만 조직체가 100년 가고 인재가 리더와 100년 함께 하는 것이다.

1. 유튜브 계정 만들기

- 구글 계정 만들고 유튜브 계정 만들기

▶ 구글 계정 만들기: 네이버에서 구글 검색 → 구글 →
로그인 → 계정만들기 → 본인 계정 → 성, 이름, 사
용자 이름, 비번 만들기

#. 구글 계정을 만들면 유튜브 계정은 자동으로 만들어
진다. 구글 계정이 유튜브 계정이 된다.

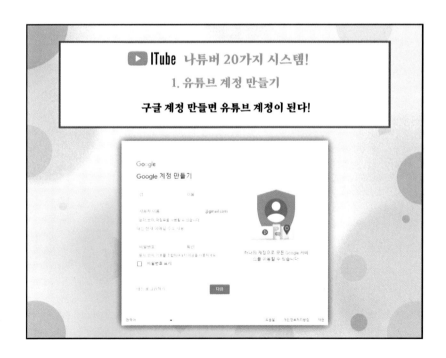

2. 채널 이름 정하기

- 수정 가능(개인 계정: 90일에 한 번씩, 총 3번만 가능 /브랜드계정: 반복적 수정 가능), 자신 이름과 같다고 생각하면 된다. 채널 방향성, 채널 의미, 채널 가치관을 알 수 있다.

부모님이 이름을 지어 줄 때 한자 풀이로 지어 준다. 필자에 이름으로 예를 들면 최보규(崔保規) 한자 풀이를 하며 높은 최, 도울 보, 법 규 다. "최고의 방법으로 법 테두리 안에서 도와준다." 뜻이다. 자신의 이름은 인생을 살아가는 방향성, 의미, 가치관이다. 누군가는 채널 이름을 쉽게 생각할 수도 있다. 사소한 것이 아닌데 사소하게 생각하는 사람들이 많다.

채널 이름이 <방탄자기계발최보규>이면 "자기계발 콘텐츠구나" 한 번에 알 수 있다. 하지만 최보규TV면 "뭐하는 채널이지?" 직관적으로 알 수가 없다. 혹시나 채널 이름을 바꿀 수밖에 없는 상황이라면 전 채널 이름과 완전히 다른 이름이 아닌 연관 된 채널 이름을 바꾸는 게 좋다. 유뷰브를 하면서 전 채널 이름과 완전히 다른 이름으로 자주 바꾸면 구독자들은 자신 채널에 삼성(진정성, 전문성, 신뢰성)을 의심하며 "초심 잃었네." 말을 하며 떠나간다. 리더가 목표, 방향을 자주 바꿔버리면 조직체원들이 리더의 삼성(진정성, 전문성, 신뢰성)을 믿고 따르겠는가?

나사(나튜브 사명감) 9가지 정신교육(동기부여)을 제대로 배우면 채널이름 만드는 방향이 잡힐 것이다.

3. 채널 만들기 (개인 계정, 브랜드 계정)

- 개인 계정, 브랜드 계정 차이를 먼저 알아야 한다.
개인 계정은 말 그대로 구글 아이디를 만들었을 때 자동으로 생성되는 계정이다. 채널명, 변경에 제약이 있다.(90일에 한 번씩, 총 3번만 가능)

브랜드 계정은 '관리자 추가' 기능이 있어서 자신 외에 다른 사람이 자신의 계정을 관리할 수 있다. 개인 계정으로 하다가 채널이 잘 되서 관리 해줄 사람이 생기면 계정 아이디, 패스워드를 공유해야 되는 상황이 생기면 개인정보 유출 위험이 있다. 브랜드 계정은 자신 계정에서 '관리자 추가'만 하면 되기에 개인정보 유출 위험이 없다. 채널명 변경에 제약이 없다.

▶ 채널 만들기(개인 계정):
네이버 유튜브 검색 → 유튜브 로그인(구글 아이디, 패스워드) → 프로필 클릭 → 채널 만들기 클릭 → 채널 이름, 핸들(채널 운영자가 본인의 채널을 시청자에게 잘 기억할 수 있도록 하는 기능).

예시: 핸들 (happyhero5889)
https://www.youtube.com/@happyhero5889

▶ 채널 만들기(브랜드 계정):

유튜브 로그인(구글 아이디, 패스워드) → 프로필 클릭
→ 계정 전환 → 모든 채널 보기 → 채널 만들기 → 채
널 이름 추가

4. 채널아트, 썸네일, 프로필 사진, 로고 (집 외부 인테리어, 현관문, 사람 얼굴)

- 채널 아트는 집으로 비유를 하면 집 외부 인테리어다. 썸네일, 프로필, 로고는 사람 얼굴이다.

"사람은 외모를 보지만 신은 사람 마음을 본다."라는 말이 있다. 한마디로 사람의 심리는 눈에 보이는 것으로 90%를 판단 한다는 것이다. 집 외부 인테리어인 채널아트를 보고 이 집 주인이 어떤 사람인지, 어떤 전문가인지, 어떤 콘텐츠를 하는지, 어떤 목표가 있는지, 어떤 방향이 있는지 판단을 한다.

지금은 어떤 시대인가?

하루에도 화려한 영상, 화려한 이미지를 수천 개를 보다 보니 사람들 눈높이가 엄청나게 높아졌다. 그래서 영상, 이미지가 눈에 확 들어오지 않으면 쳐다보지 않는다.

앞에서 언급 듯이 디지털 시대에는 리더의 필수 스펙3가지(1. 영상 촬영, 편집 기술 스펙 2. 홍보디자인 제작 기술 스펙 3. 온라인, 디지털 콘텐츠 제작 기술)는 무조건 마스터해야만 리더 자신 분야 삼성(진정성, 전문성, 신뢰성)을 올릴 수 있다.

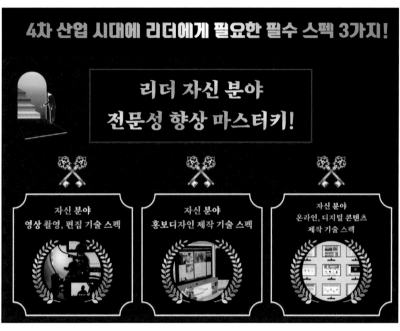

4차 산업 시대에 리더에게 필요한 필수 스펙 3가지!

리더 자신 분야 전문성 향상 마스터키!

자신 분야
영상 촬영, 편집 기술 스펙

자신 분야
홍보디자인 제작 기술 스펙

자신 분야
온라인, 디지털 콘텐츠
제작 기술 스펙

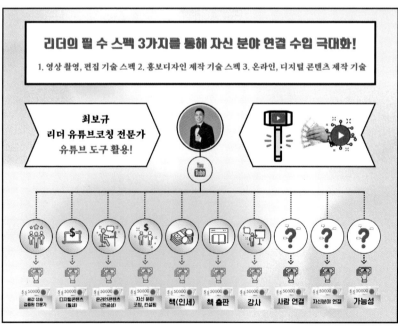

리더의 필수 스펙 3가지를 통해 자신 분야 연결 수입 극대화!

1. 영상 촬영, 편집 기술 스펙 2. 홍보디자인 제작 기술 스펙 3. 온라인, 디지털 콘텐츠 제작 기술

최보규
리더 유튜브코칭 전문가
유튜브 도구 활용!

채널아트, 썸네일, 프로필, 로고 만드는 사이트, 프로그램들 검색하면 어마어마하게 많다. 무료 사이트, 유료 사이트가 있는데 일반 사람이라면 무료 사이트를 해도 충분하다. 하지만 리더라면 돈을 아낄 때, 돈을 쓸 때를 명확하게 구분하여 자기계발하는데 과감히 투자를 해야 한다.

최고의 투자는 자기계발 투자이다. 그런데 20,000명 코칭 하면서 알게 된 것은 리더라는 사람이, 협회 회장이라는 사람이, 단체를 대표하는 사람이, 은퇴 전에 한 자리했던 사람이, CEO라는 사람이 자신 명품 차, 명품 옷에는 돈을 아끼지 않고 투자하면서 자신 자기계발, 1:1 코칭 하는 데에는 돈이 없다고 손을 덜덜덜 떠는 행동과 말을 한다. 그 리더를 믿고 따르는 조직체원들이 안쓰러울 뿐이다.

유튜브를 시작하면 채널아트, 썸네일, 프로필, 로고, 홍보 이미지, 썸네일... 등 디자인할 것이 어마어마하게 많다. 이런 상황에서 무료 디자인 프그램으로 디자인한다? 무료가 다 안 좋다고 말하는 게 아니다. 하지만 단언컨대 무료는 무료만큼 퀄리티가 나오고 유료는 유료만큼의 퀄리티가 나온다는 것이다. 가장 중요한 것은 이미지, 사진 활용 때 저작권 문제가 생긴다는 것이다. 그래서 말하고 싶은 핵심은 필자가 어마어마하게 시행착오를 거치고 찾아낸 유료 디자인 프로그램 하나면 채널아트, 프로필, 로고, 홍보 이미지, 썸네일... 앞으로 150년 동안 걱정 없이 할 수 있다. 기능도 파워포인트 기초 실력만 있으면 가능하다. 파워포인트 상급 실력이 있어야 가능한 디자인 실력이 유료 디자인 프로그램에서는 파워포인트 기초 실력으로 할 수 있다는 것이다.

극단적으로 말하면 파워포인트 기초 실력이 없어도, 마우스만 움직일 줄만 알아도 가능한 어마어마한 디자인 프로그램이다. 그 프로그램 이름이 "망고보드"다. 필자는 "망고보드" 프로그램으로 150년 수입을 올릴 수 있는 1조의 가치 기술력을 연마했다. 세상 모든 디자인을 "망고보드" 프로그램으로 할 수 있고 마우스만 움직일 줄 알면 가능하다는 것이다.

지금 시대는 디자인 프로그램으로 활용할 수 있는 것이 무한대다. 필자가 "망고보드" 프로그램을 어떻게 활용하고 있는지 참고하길 바란다.

★ 최보규 리더유튜브 코칭전문가의 망고보드 활용!
유튜브 300개 영상에 들어가는 이미지 디자인(채널아트, 썸네일, 프로필, 로고), 생일 축하 메시지 디자인, 청첩장 디자인, 결혼기념일 디자인, 명함 디자인, 전단지 디

자인, 명찰 제작 디자인, 이벤트 디자인, 뺏지 제작 디자
인, 지인 경조사 디자인, 송년회 디자인, 신년회 디자인,
시상식 디자인, 홈페이지 제작, 홈페이지 디자인, 자신
분야 홍보 디자인, 코칭 홍보지 디자인, 교육 홍보지 디
자인, 상세페이지 디자인, 100권 책 디자인(책 표지, 책
날개 표지, 책 내지, 책에 들어가는 이미지 사진들, 책
홍보 이미지 디자인, 책 홍보 영상 디자인, SNS 홍보
이미지 디자인), 50층 온라인 건물 디자인, 디지털 콘텐
츠 크몽 입점 디자인, 디지털 콘텐츠 탈잉 입점 디자인,
디지털 콘텐츠 클래스101 입점 디자인, 클래스유 입점
디자인, 디지털 콘텐츠 인클 디자인... 등

오해하지 말고 들었으면 한다. 필자는 "망고보드" 프로
그램 직원이 아니다. 협찬받은 것도 없다. 필자의 100가
지 기술력이 기초가 되어준 "망고보드" 프로그램이었기
에 "망고보드" 프로그램을 1,000% 활용 하고 있는 사
람으로서 말하는 것이다. 필자가 "망고보드" 프로그램을
활용해 100가지 기술력을 만들었던 것도 참고하길 바란
다.

삼성이 검증된 100가지 기술력

(진정성, 전문성, 신뢰성) www.방탄자기계발사관학교.com

1	방탄 자존감 코칭 기술	13	방탄 강사 코칭 기술	25	방탄 리더십 코칭 기술	37	종이책 쓰기 코칭 기술
2	방탄 자신감 코칭 기술	14	방탄 강의 코칭 기술	26	방탄 인간관계 코칭 기술	38	PDF책 쓰기 코칭 기술
3	방탄 자기관리 코칭 기술	15	파워포인트 코칭 기술	27	방탄 인성 코칭 기술	39	PPT로 책 출간 코칭 기술
4	방탄 자기계발 코칭 기술	16	강사 트레이닝 코칭 기술	28	방탄 사랑 코칭 기술	40	자격증교육 커리큘럼으로 책 출간 코칭 기술
5	방탄 멘탈 코칭 기술	17	강사 스킬UP 코칭 기술	29	스트레스 해소 코칭 기술	41	자격증교육 커리큘럼으로 영상 제작 코칭 기술
6	방탄 습관 코칭 기술	18	강사 인성, 멘탈 코칭 기술	30	힐링, 웃음, FUN 코칭 기술	42	책으로 디지털콘텐츠 제작 코칭 기술
7	방탄 긍정 코칭 기술	19	강사 습관 코칭 기술	31	마인드컨트롤 코칭 기술	43	책으로 온라인콘텐츠 제작 코칭 기술
8	방탄 행복 코칭 기술	20	강사 자기계발 코칭 기술	32	사명감 코칭 기술	44	책으로 네이버 인물등록 코칭 기술
9	방탄 동기부여 코칭 기술	21	강사 자기관리 코칭 기술	33	신념, 열정 코칭 기술	45	책으로 강의 교안 제작 코칭 기술
10	방탄 정신교육 코칭 기술	22	강사 양성 코칭 기술	34	팀워크 코칭 기술	46	책으로 민간 자격증 만드는 코칭 기술
11	꿈 코칭 기술	23	강사 양성 과정 코칭 기술	35	협동, 협업 코칭 기술	47	책으로 자격증과정 8시간 제작 코칭 기술
12	목표 코칭 기술	24	퍼스널프랜딩 코칭 기술	36	버킷리스트 코칭 기술	48	책으로 유튜브 콘텐츠 제작 코칭 기술

49	유튜브 시작 코칭 기술	**62**	유튜브 영상 홍보 코칭 기술	**75**	클래스101 영상 입점 코칭 기술	**88**	클래스U 영상 편집 코칭 기술
50	유튜브 자존감 코칭 기술	**63**	홈페이지 무인시스템 연결 제작 코칭 기술	**76**	클래스101 PDF 입점 코칭 기술	**89**	클래스U 이미지 디자인 제작 코칭 기술
51	유튜브 멘탈 코칭 기술	**64**	홈페이지 자동 결제 시스템 제작 코칭 기술	**77**	클래스101 이미지 디자인 제작 코칭 기술	**90**	클래스U 커리큘럼 제작 코칭 기술
52	유튜브 습관 코칭 기술	**65**	홈페이지 비메오 연결 제작 코칭 기술	**78**	클래스101 영상 제작 코칭 기술	**91**	인클 입점 코칭 기술
53	유튜브 목표, 방향 코칭 기술	**66**	홈페이지 렌탈 시스템 제작 코칭기술	**79**	클래스101 영상 편집 코칭 기술	**92**	자신 분야 콘텐츠 제작 코칭 기술
54	유튜브 동기부여 코칭 기술	**67**	홈페이지 디자인 제작 코칭 기술	**80**	탈잉 영상 입점 코칭 기술	**93**	자신 분야 콘텐츠 컨설팅 코칭 기술
55	유튜브가 아닌 나튜브 코칭 기술	**68**	홈페이지 제작 코칭 기술	**81**	탈잉 PDF 입점 코칭 기술	**94**	자기계발코칭전문가 1시간 ~ 1년 코칭 기술
56	유튜브 영상 제작 코칭 기술	**69**	재능마켓 크몽 PDF 입점 코칭 기술	**82**	탈잉 이미지 디자인 제작 코칭 기술	**95**	강사코칭전문가 1시간 ~ 1년 코칭 기술
57	유튜브 영상 편집 코칭 기술	**70**	재능마켓 크몽 강의 입점 코칭 기술	**83**	탈잉 영상 제작 코칭 기술	**96**	온라인 건물주 되는 코칭 기술
58	유튜브 울렁증 극복 코칭 기술	**71**	재능마켓 크몽 이미지 디자인 제작 코칭 기술	**84**	탈잉 영상 편집 코칭 기술	**97**	강사 1:1 코칭기법 코칭 기술
59	유튜브 썸네일 디자인 제작 코칭 기술	**72**	재능마켓 크몽 입점 영상 제작 코칭 기술	**85**	탈잉 VOD 입점 코칭 기술	**98**	전문 분야 있는 사람 1:1 코칭 기법 코칭 기술
60	유튜브 콘텐츠 제작 코칭 기술	**73**	재능마켓 크몽 입점 영상 편집 코칭 기술	**86**	클래스U 영상 입점 코칭 기술	**99**	CEO, 대표, 리더, 협회장 품위유지의무 코칭 기술
61	유튜브 수입 연결 제작 코칭 기술	**74**	재능마켓 크몽 VOD 입점 코칭 기술	**87**	클래스U 영상 제작 코칭 기술	**100**	은퇴 준비 코칭 기술

세계 최초! 우주 책임감 150년 A/S, 관리, 피드백
최보규 대표 010- 6578-8295

한 분야 전문가로는 힘든 시대! 온라인 건물주!
자신 분야 삼성(진정성, 전문성, 신뢰성)을 높여
제2수입, 제3수입 발생시켜 은퇴 후 30년을 준비하자!

수많은 디자인 플랫폼들이 있지만 필자가 사용하고 있는 "망고보드" 유로 프로그램을 사용한다면 리더로서 디자인기술 스펙은 보장된다. "가방끈이 짧아서, 배운 게 없어서, 컴맹이라서, 나이가 많아서, 재능이 없어서, 능력이 없어서, 머리가 좋지 않아서… 등"라는 말로 리더 자신의 한계를 자신이 정해버리면 세상에서 가장 멍청한 리더다. 컴맹이었던 필자가 컴맹을 극복했던 방법은 끊임없이 "어떻게 하면 할 수 있을까?"라는 질문이었다.

"내가 할 수 있을까?"라는 말을 하는 순간 핑계거리는 찾고 "어떻게 하면 할 수 있을까?"라는 말을 하는 순간 방법을 찾게 된다. 리더 자신을 못 믿겠다면 당신을 믿어주는 최보규 리더유튜브 코칭전문가를 믿고 시작 하자!

유튜브 채널아트 사이즈, 프로필 사이즈, 로고 사이즈, 썸네일 사이즈만 알면 "망고보드"에서 만들어진 디자인을 참고로 제작할 수 있다. 채널아트 사이즈 $2560 \times 1440px$ / 썸네일 사이즈 $1280 \times 720px$ / 프로필 사이즈 $800 \times 800px$ / 로고 사이즈 $800 \times 800px$ 망고보드 전문가가 미리 만들어 놓은 샘플들이 많다. 만들어진 것에 색깔, 글씨, 디자인만 자신 취향대로 바꾸면 된다. "참 쉽죠!"

"망고보드"에서 제작한
유튜브 채널아트, 썸네일, 프로필, 로고

채널아트 사이즈 2560×1440px

썸네일 사이즈 1280×720px

프로필 사이즈 800×800px

로고 사이즈 800×800px

유튜브 채널아트(집 외부 인테리어)
"신은 사람의 마음을 보지만 사람은 외모를 본다."
디지털 시대에는 시각적인 이미지로 집중시켜야 한다!

유튜브 썸네일
(영상을 대표하는 이미지)

"신은 사람의 마음을 보지만 사람은 외모를 본다."

**다지털 시대에는 시각적인
이미지로 집중시켜야 한다!**

아무리 쉬운 것도 모르면 우주에서 가장 어려운 것이고 아무리 어려운 것도 알고 나면 우주에서 가장 쉬운 것이 된다. 그렇지만 아무리 쉬운 것도 독학한다는 것이 쉽지는 않다. 그것도 컴퓨터로 하는 것은 더더욱 그럴 것이다.

필자도 우주 초보였다. 마우스만 움직일 줄 알았던 사람이다. "디지털시대에 맞게 변화하지 않으면 내 분야는 죽는다."라는 태도로 악착같이 시행착오, 대가 지불, 인고의 시간을 통해 악착같이 디자인 기술력을 마스터 했다. 필자 전문 분야가 디자인 전공이 아닌데도 "망고보드" 프로그램을 통해서 디자인 전문가가 되었다.

컴맹의 마음을 그 누구보다도 잘 알기에 "망고보드" 프로그램 1:1코칭 한번 받은 리더들을 우주 책임감인 150년 a/s, 피드백, 관리 해주고 있다는 것이다. 자신 분야를 온라인 콘텐츠, 디지털 콘텐츠로 80% 전환 시키지 못하면 앞으로 자신 분야에서 살아남기가 더 힘들다는 것을 명심하자.

5. 영상 콘셉트, 기획 1

- 파워포인트, 대본 작업, 저작권 문제를 피하기 위해 유료 사이트 사용(사진, 배경 음악), 내 영상 타겟층 파악, 잘나가는 유튜버 영상 보고 공부, 인트로를 남들과 다르게 나다운 영상 기획.

콘셉트란? 어떤 작품이나 제품, 공연, 행사 따위에서 드러내려고 하는 주된 생각. <국어사전>
한마디로 영상 콘셉트는 영상 하나를 만드는데 준비, 목표, 방향을 기획하는 것이다. 채널, 유튜버가 추구하는 콘셉트, 콘텐츠가 다르기에 정답은 없다. 하지만 대부분 유튜버가 기본으로 영상 하나를 제작하기 위해서는 기획 순서가 있다.

무조건 콘셉트, 기획 순서가 없어도 된다. 콘셉트, 기획 순서 없이 스마트폰으로 집에서 바로 영상을 찍을 수 있다. 콘셉트, 기획은 연기자가 대본을 통해 1시간 연기를 하느냐, 대본 없이 애드립으로 1시간 연기를 하느냐 차이라는 것이다. 1시간 애드립으로 하는 능력자도 있긴 있다. 하지만 대부분 사람들은 콘셉트, 기획 순서가 있어도 힘들다. 카메라만 보고 말하는 것과 사람을 보고 말하는 것은 차원이 다르기 때문이다. 비유를 하면 오락실 자동차 운전하는 것과 실제 운전하는 차이다.

필자도 처음에는 독학으로 하다 보니 콘셉트, 기획 순서를 모른 체 즉흥적으로 했었다. 하지만 유튜버 코칭전문가가 되고 나서야 알게 되었다.

콘셉트, 기획 순서를 제대로 세우지 않고 배우지 않고 유튜브를 시작하면 땅을 치고 후회하는 상황이 벌어진다.

영상은 어떻게든 촬영해서 올린다. 유튜브 영상 제작이 어떤 건지 적응이 되고 익숙해지는 시기(사람마다 다르겠지만 평균 6개월 ~ 1년 기간에 영상 50개 ~ 100개 제작 경험)가 지나고 나면 땅을 치며 후회한다.

"처음부터 콘셉트, 기획 순서를 제대로 하지 못해서 6개월 ~ 1년 기간에 영상 50개 ~ 100개를 제작한 것들이 너무 어설프고 스피치도 내 스타일데로 나오지 않네. 삼성(진정성, 전문성, 신뢰성)이 나오지 않네. 영상 다 삭제하고 싶다."

한마디로 6개월 ~ 1년 기간에 영상 50개 ~ 100개 제작 경험에서 겪었던 시행착오, 대가 지불, 인고의 시간, 돈, 열정들을 허공에 날리는 상황이 벌어진다. 당연히 몇 개월 동안 몇 십 개 영상을 제작했던 경험이 쌓여 영상 제작 실력이 좋아지고 노하우가 생긴다. 그런데 영상 업로드 한 100개의 결과물들을 뒤돌아보면 어설픈 영상들이 쓰레기 된 기분("너무 못 찍었다. 내 스타일도 안 나오고 시선 처리도 잘 못하고 내용 핵심 전달이 잘 되지 않고 특유의 버릇도 나오고 표정이 밝지 않고... 등")은 겪어 보지 못한 사람들은 상상할 수도 없을 것이다. 그러다 보면 자괴감이 든다. "유튜버를 더 해야 되나? 돈은 안 되고? 구독자도 안 늘고?"라는 생각이 자신을 괴롭힌다. 필자도 겪었고 20,000 심리 상담, 코칭 하면서도 알게 된 것들이다. 그래서 콘셉트, 기획 순서를 모르고 그냥 할 거면 1년 동안 100개의 영상들은 버린다 생각하고 해야 한다. 아니면 콘셉트, 기획 순서를 제대로 배워서 1년이라는 시간, 100개 영상 제작의 시행착오, 대가지불, 인고의 시간을 줄일 것인가는 자신에게 달렸다.

그 어떤 일이든 적응될 때까지, 익숙해질 때까지, 눈을 뜨는 시기까지 시행착오, 대가 지불, 인고의 시간이 절대적으로 필요하다. 왜 절대적인 시간이 필요할까? 세상 모든 이치, 자연의 이치를 알게 해주는 스토리텔링을 참고 하길 바란다.

맹도견으로 유명한 리트리버 한 마리를 교회에서 기르는데 새끼를 아홉 마리나 낳았다. 꼬물꼬물 눈도 뜨지 못하고 젖을 먹던 강아지들이 한 달이 다 되어가자 드디어 눈을 떴다.

아들이 내게 물었다.

"다른 동물은 낳자마자 눈을 뜨고 심지어 뛰어다니기까지 하는데 왜 강아지는 눈을 못 떠요?"

내가 아들에게 물었다.

"개들은 무엇이 발달되어 있지?"

아들이 대답했다.

"냄새를 잘 맡아요. 코가 발달되어 있지요."

"바로 그거야. 후각을 발달시키기 위해 하나님은 강아지를 한 달 동안 눈을 뜨지 못하게 한 것이 아닐까. 어떤 능력을 기르기 위해선 절대적인 시간이 필요하거든."

《그러니까 상상하라》

곤충학자 찰스 코우만은 애벌레가 나비가 되기 위해 고치 구멍을 뚫고 나오는 광경을 지켜보고 있었다. 고치에 난 조그마한 구멍으로 나비가 비집고 나오느라 필사의 노력을 하다 힘에 겨운 듯 잠시 잠잠해졌다. 죽은 것이 아닌가 하고 손가락으로 살며시 건드리자, 또 필사적인 탈출을 시도하지만 도무지 진도가 나가지 않았다. 몇 시간을 기다렸지만 나비는 그 작은 구멍을 뚫고 나오지 못했다. 이래서야 영영 나오지 못할 것 같다는 생각이 들었다. 찰스 코우만이 보다 못해 안타까운 마음에 가위로 주위를 조심스럽게 잘라 구멍을 넓혀주자, 예상대로 나비는 쉽게 고치 밖으로 나왔다.

그런데 쉽게 고치를 빠져나온 나비는 다른 나비들에 비해 몸통이 아주 작고 가냘프고 찌부러진 날개를 가지고 있었다. 찰스 코우만은 '곧 날개를 활짝 펴고 커서 튼튼해지겠지!' 하고 기대하면서 계속 지켜봤다. 그러나 실망스럽게도 그 나비는 말라 비틀어진 몸뚱이와 찌그러진 날개를 지닌 채, 날지도 못하고 땅바닥을 기어 다니다 얼마 못 살고 죽어버렸다.

콘충학자 찰스 코우만은 자신의 실수를 이렇게 고백했다. 아이도 성장하는 과정에서 스스로 감당해야만 하는 과정이 있다. 고치 구멍을 스스로 뚫고 나오지 못하면 하늘을 향해 날아오를 힘을 가질 수 없다.

《부모라면 놓쳐서는 안 될 유대인 교육법》

누적 관객 1억 명의 황정민 배우 연봉 300만 원으로 21년 무명을 버틴 비결

"저도 늘 배우를 꿈꿔왔는데 이렇다 할 기회가 아직 안 와서 계속 기다리고 있습니다. 솔직히 기회가 많지 않아서 답답해요." 황정민 배우는 그 말을 듣고는 이렇게 답했다. "아쉽고 짜증 날 거예요. 저도 그랬으니까요. 근데 어쩔 수 없어요. 기다려야 해요. 저도 꽤 오랫동안 무명으로 대학로에 있었어요. 그 때 연봉이 300만 원이었습

니다. 월급 말고 연봉이 300만 원이었어요. 제가 하고 싶은 말은 뭐냐면요. 언제가 됐든 자신이 하고 싶은 일에 대해서 프라이드가 있어야 되고 자랑스러워야 해요. 그래야 배우가 돼요. 그게 없으면 배우가 될 수 없어요. 내가 이 일에 대해 얼마나 고민하고 몰두하고 공부하고 있는지를 스스로에게 한 번 더 물어보세요. 그렇게 조금씩 조금씩 하다 보면, 주변에서 본인을 찾게 돼요. 잘하니까 인정하게 돼요. 어느 순간." "안 찾으면 어떻게 해요?" "찾게 되요 100% 찾아요." "제동씨가 저 얼굴에 어떻게 뽑혔겠어요. 저 사람만이 가지고 있는 상대방 마음과 마음을 읽을 수 있는 능력이 있잖아요. 기다리세요. 그 일에 대해 확신을 가지고 신념을 가지고 자신을 자랑스러워하세요. 분명히 됩니다."

<힐링캠프 황정민VS500인편>

유튜브 눈 뜨는 시기인 자생능력(자생능력: 스스로 혼자서 할 수 있는 능력)이 생기는 시기를 앞당길 수 있는 방법은 벤치마킹하는 것이다.
필자가 콘셉트, 기획 순서 했던 방법을 참고 하길 바란다. 순서를 먼저 말하고 설명은 이어서 하겠다.

파워포인트에서 대본 작업 → 저작권 문제없는 사진, 배경 음악 선정 → 콘텐츠 타겟층에게 맞는 자료 수집 →

영상 촬영 때 중간 중간에 들어갈(비유를 들어 줄 이미지, 영상, 메시지, 스토리텔링) 콘셉트 기획 → 잘 나가는 유튜버 영상 보고 공부 → 인트로를 남들과 다르게 나다운 영상 기획

필자는 자기계발(자자자자멘습긍: 자존감, 자신감 자기관리, 자기계발, 멘탈, 습관, 긍정)교육 콘텐츠다. 자기계발에 연관된 주제를 하나 정하고 그 주제를 망고보드, 파워포인트에서 대본작업을 한다. 대본 작업이란 영상을 촬영 할 때 컨닝페이퍼처럼 보면서 말을 하기 위한 영상 컨닝페이퍼다. <6. 영상 콘셉트, 기획 2>에서 자세히 설명하겠다. 파워포인트가 아니어도 된다. 필자는 강사여서 파워포인트가 익숙하고 간단한 디자인까지 대본 작업 할 때 하기에 주로 사용한다. HWP에 대본 작업을 하는 유튜버들도 많다. 파워포인트에 대본 작업을 할 때 좀 더 생동감 있게 말하기 위해서 대본에 맞는 이미지를 대본에 넣고 효과음, 배경음악도 어디에 추가할 것인가를 대본에 체크해둔다. 콘텐츠 타켓층에 맞는 사진, 이미지, 메시지, 색들을 체크한다. (영상 촬영 후 영상 편집할 때 시간이 절약된다.) 영상 촬영할 때 중간 중간에 예시, 비유를 들어 줄 스토리텔링이나 이미지를 대본에 체크한다.

잘나가는 유튜버 영상이나 자신 분야와 비슷한 콘텐츠를 하는 영상들을 보고 기획을 어떻게 했는지 참고하며 공부를 하고 나다운 스타일이 나올 때까지 계속 해야 한다. 나다운 스타일이 가장 먼저 눈이 들어오는 것이 썸네일 이고 클릭 했을 때 영상에서 인트로 부분이다. (인트로: 도입 부부, 만화의 첫머리, 영화 또는 방송의 맨 앞부분을 의미 / 아웃트로: 영상, 글, 만화 등 맨 끝 부분 삽입되는 장면을 의미)

썸네일을 보고 80%가 클릭을 한다. 그만큼 첫 이미지가 중요하다. 그리고 50%가 인트로 부분을 보고 영상을 더 시청할지 나갈지를 선택한다. 그래서 썸네일 디자인, 인트로 디자인이 중요한 것이다. 파워포인트에서 대충 만드는 영상 디자인, 썸네일, 인트로(저작권에 문제가 될 수 있는 상황이 벌어질 수 있음), 무료 프로그램(저작권에 문제가 될 수 있는 상황 벌어질 수 있음)에서 대충 만드는 영상 디자인, 썸네일, 인트로로는 자신 영상을 보게 만드는 게 쉽지 않다는 것이다. 그래서 "망고보드" 유료 디자인 프로그램을 강조 강조하는 것이다. 특히 이미지, 폰트, 영상, 음악 저작권 문제가 심각하기에 필히 유료 디자인 프로그램을 사용해야 한다.

썸네일, 인트로만 화려하게 눈에 확 띄게 만든다고 질

좋은 영상이라고 100% 판단은 못 하지만 질 좋은 영상들은 썸네일, 인트로가 대부분 눈에 확 띄게 만든다는 것은 영상미도 좋다는 것을 명심하자!

순서를 나열한 것만 보면 하는 것이 많아 보이지만 순서만 알면 그렇게 많은 것이 아니다. 필자는 최소한으로 간략하게 하는 것이다. 콘센트, 기획 순서를 필자보다 10배는 더 많이 기획, 시간, 돈 투자를 하는 유튜버도 있다.

20,000명 심리 상담, 코칭 하면서 알게 된 것은 콘셉트, 기획 순서를 설명 하고 실전 1:1코칭을 하면 두 부류 리더가 나온다.

첫 번째 부류의 리더.
"유튜브 책, 교육, 코칭을 많이 받았지만 제대로 하지 못해서 대충 혼자 하고 있는 상황이었습니다. 이론적으로는 좀 어려워 보였는데 코치님과 같이하니 너무 쉽네요. 이렇게 쉽게 할 수도 있는 거군요. 지금까지 배우면서 시간, 돈 낭비한 것이 후회가 되네요. 유튜브 페이스 메이커 없이도 이제는 혼자서도 할 수 있을 거 같아요. 유튜브에서 <유튜브 시작하기> 영상들을 몇십 개보면서 너무 어려워 보였고 처음에는 하는 것도 많다고 생각했는데 우와! 최보규 리더유튜브 코칭전문가님과 함께하니 너무 쉽네요."라는 말을 하면서 유튜브를 너무 쉽게 알려 주니코칭비가 비싼 거 아니냐고 말을 하는 리더가 있다.

두 번째 부류의 리더.
"유튜브 코칭 영상, 교육을 많이 받아 봤지만, 최보규 리더유튜브 코칭전문가님처럼 쉽고 재미있게 코칭 해주는 사람을 보지 못했습니다. 코칭 비용 너무 싼 거 아닌가요? 코칭 비용보다 10배를 더 가져가는 가치 있는 코칭입니다. '혼자서 해도 되겠다.'라는 수준까지 올려 주는 코칭, 알찬 코칭으로도 부족해서 우주 책임감 150년 a/s, 피드백, 관리까지 해주는 명품 코칭! 정말 고맙습니다."라는 말을 하면서 유튜브 코칭비보다 100배는 더 가져간다고 말 하는 리더도 있다.

유튜버 시작이 쉬웠던 것이 아니라 필자가 유튜브 시작을 쉽고 재미있게 코칭을 해줘서 "페이스메이커 없이 스스로 혼자서도 할 수 있겠다."라는 수준까지 올려 주었기에 가능한 것인지를 모르고 "배워보니 쉽네."라는 태도로 가치를 모르고 자신 돈 들어간 것만 생각하는 개념 없는 리더들도 있다.

세상에는 똑같은 것도 설명을 어렵게 하여 복잡하게 설명하는 전문가가 있는 반면에 똑같은 것을 쉽고 재미있게 간단 명료한 내용으로 설명하는 전문가가 있다는 것이다. 그만큼 삼성(진정성, 전문성, 신뢰성)이 있기에 내공이 나오는 것이다. 코칭비가 저렴하면 저렴한 이유가 있고 코칭비가 비싸면 그만큼 가치가 있는 것이다. (코칭비만 비싸고 내용이 없는 코칭도 있다.)

리더여, 복잡하게 설명하고 들어도 이해가 가지 않는 저렴한 코칭, a/s, 관리, 피드백도 없는 전문가의 코칭을 받을 것인가?

아니면 쉽고 재미있게 설명으로 "스스로 혼자 할 수 있겠다."라는 수준까지 해주는 코칭, 우주 책감인 150년 a/s, 관리, 피드백까지 해주는 코칭인 명품 방탄코칭을 받겠는가? 무료면 무료만큼의 가치가 있고 명품은 명품의 가치가 있다는 것을 명심하자!

그래서 유튜버 시작도 체계적인 시스템 안에서 배우고 시작을 해야만 오래 지속하는 것이다. 처음부터 대충 시작하니까 대충하다 1년 안에 99%가 그만두는 것이다. 지금 유튜브 현실은 100명 시작하면 99명이 그만둔다. 그 만큼 아무나 오래 지속 못하는 트랜드로 가고 있다.

무료면 무료만큼에 가치가 있고
명품은 명품의 가치가 있다는 것을 명심하자!

코칭 경력 15년 차 전문 분야가 있지만 표면적으로 증명할 수 있는 것이 없다!	코칭 경력 15년 차 전문 분야 100개 전문 분야 책 100권 방탄코칭 창시자

OOO전문가

방탄코칭 전문가

"무료로 들어보고 판단하라는 이유가 있었네 무료 PDF자료 주는 것도 역시 무료는 무료 만큼 수준이네. 이 전문가는 말을 어렵게 하는 재주가 있네. 도무지 무슨 말을 하는지 모르겠다. 재미도 없는 코칭. 시간이 아깝다. 이런 코칭은 나도 하겠다. 무료 교육에서 비전을 못 느끼는데 1:1코칭도 똑같을 거야. 돈 주고 1:1코칭 받는 사람이 있나? 당신 같은 전문가 100명이 알려줘도 혼자서는 못하겠다. "

"유튜브 코칭 영상, 교육을 많이 받아 봤지만, 최보규 리더유튜브 코칭 전문가님처럼 쉽고 재미있게 코칭 해주는 사람을 보지 못했습니다. 코칭 비용 너무 싼 거 아닌가요? 코칭 비용보다 10배를 더 가져가는 가치 있는 코칭입니다. '유튜브 페이스메이커 없어도 혼자 할 수 있겠다.'라는 수준까지 올려 주는 코칭. 알찬 코칭으로 부족해서 세계 책임감 150년 a/s, 피드백, 관리까지 해주는 명품 코칭! 정말 고맙습니다."

151

경력은 스펙이 아니다!
경력만 있는 사람을 전문가라고 하지 않는다!

코칭 경력 15년 차
전문 분야가 있지만
표면적으로 증명할 수
있는 것이 없다!

코칭 경력 15년 차
전문 분야 책 100권 출간
★ 특허청 등록 ★
제40-2072344호
최보규 자기계발코칭 창시자
제40-2128786호
최보규 리더동기부여 코칭전문가

000전문가

방탄자기계발 전문가

코칭 경력 15년 차

경력만 있다.

명품 자기계발 책!

N 최보규

네이버 인물정보 등록 34만 명! (2016년 기준)
대한민국 1% 미만 "네이버 명예의 전당" 인물정보 등록!

전체   프로필   최근활동   도서

프로필   →

소속   방탄자기계발사관학교/방탄북
(BOOK)출판사(대표)

수상   2016년 제1회 세계를 빛낸 천
사상 대상

경력   방탄자기계발사관학교/방탄북
(BOOK)출판사 대표
방탄자기계발사관학교 대표
2012.05~2016.06 사랑의전화 전화상담 자원
봉사자
2014.11 행복사관학교 대표

사이트   유튜브, 블로그, 네이버TV, 페이스북, 공식홈페
이지

작품 ★ 도서 108건, 관련활동

평균 희망 은퇴 73세, 현실 은퇴 나이 49세!
100세 시대 언제까지 몸(노동)으로만
일해서 돈을 벌 것인가?

세상, 현실 기준에서 스펙, 돈, 인맥, 자산 등이 없어서 100세까지 노동을 해야 되고 몸까지 아프면 더 답이 없는 상황! 젊을 때는 100가지 중 99가지를 할 수 있지만 나이 들면 100가지 중 99가지를 할 수 없다. 3고 시대, AI 시대, 챗 GPT 시대에 자신의 직업이 사라 질 수 있는 상황에서 어떻게 준비, 대비할 것인가?

방탄BOOK기술력
선택이 아닌 필수!

세계 최초
방탄
BOOK
기술력

| Google 자기계발아마존 | ▶YouTube 방탄자기계발 | NAVER 방탄BOOK | NAVER 최보규 |

6. 영상 콘셉트, 기획 2

- 빔 프로젝트, 모니터, 프롬프터 가격 10만 원 ~ 100만 원, 얼굴만 안 나오게, 목소리만 나오게, 옆 모습, 정면, 썬글라스, 고글, 인형 탈, 타이거 마스크, 마스크, 의상, 의자, 일어나서, 이미지, 화장, BB크림, 성형, 시술... 등

영상 콘셉트, 기획 1 이 끝나면 촬영을 하기 위한 전 단계가 영상 콘셉트, 기획 2다. 카메라(스마트폰, 캠코터, 웹캠... 등)를 보고 영상 기획한 것을 토대로 스피치 해야 한다. 리더 유튜브 스피치에 대해 잠깐 언급을 하겠다.

리더 자신 분야를 1:1로 만나서 전문성 있게 설명하는 건 그 누구보다 잘 할 수 있을 것이다. 리더가 아니어도 대부분 사람들은 누군가에게 자신이 추구하는 것, 자신의 스토리를 말할 때는 청산유수처럼 나온다. 하지만 사람이 없는 상황에서 카메라 렌즈만 보고 말을 한다는 것이 보통 힘든 것이 아니다.
주목받는 일을 하는 사람들이 대부분 겪는다는 카메라 울렁증, 마이크 울렁증, 무대 공포증, 발표 불안증... 등 국민 MC인 유재석도 카메라 울렁증, 무대공포증이 있었다.

필자는 강사직업이 15년 차다. 말만 잘하는 게 아니라 20,000명 심리 상담, 코칭, 2,000권 독서, 6,000회 강의 경력, 책 100권 출간을 통한 스피치 내공은 상상을 초월한다. 이런 필자도 유튜브 2023년 기준 5년차, 영상 몇백 개 촬영을 했는데도 사람이 없이 카메라 앞에만 서면 작아진다. 그래서 강의할 때, 사람들 만나서 코칭 할 때 스피치가 유튜브 영상 찍을 때는 30% 밖에 나오지 않는다. 그나마 영상 편집 실력 좋아져서 컷 편집을 잘하기에 스피치가 강의 할 때만큼은 아니지만 매끄럽게 다듬어졌다.

필자의 유튜브 영상을 보고 난 뒤 코칭을 받는 리더들이 간혹 이런 말을 한다. "최보규 리더유튜브 전문가님 스피치를 직접 만나서 들어보니 영상에서 느낀 스피치 내공보다 1억 배의 내공을 느낄 수 있네요."라는 말을 듣는다.

강사 경력이 15년 차, 유튜브 5년 차 인데 아직도 유튜브 영상 촬영 때 기획한 대본을 보고 한 문장 ~ 두 문장을 외워서 스피치 하는 경우도 있다는 것이다. 100% 내 스타일이 나오지 않아서 조금은 답답하지만 그 답답한 것 또한 최보규 유튜버 스타일이기에 인정하고 받아들이며 감사하며 유튜브 영상을 찍는다.

20,000명 심리 상담, 코칭 하면서 알게 된 것은 어떤 리더는 "한 분야 전문가가 카메라 울렁증 때문에 스피치를 제대로 하지 못한다면 전문성이 떨어지고 이미지만 깎이는 거 아닌가요? 이런 상황에서 유튜브를 하면 마이너스 되는 거 아닌가요?"라는 말을 했다. 틀린 말은 아니다. 그런데 "해보지는 않았지만 카메라 울렁증이 있는 거 같아"와 "해보니 카메라 울렁증이 있네."는 하늘과 땅 차이다.

코칭 할 때 카메라 울렁증, 마이크 울렁증, 무대 공포증, 발표 불안증... 등이 있는 리더들에게 늘 말하는 게 있다.

"유튜브라는 천재일우(천 년에 한 번 만난다는 뜻으로 좀처럼 만나기 어려운 기회를 이르는 말) 플랫폼을 자신 분야와 연결 시켜 삼성(진정성, 전문성, 신뢰성)을 올릴 수 있는 기회, 온라인 건물주가 되는 기회를 카메라 울렁증이 있는지 없는지도 제대로 모르는 상황에서 스스로 한계를 정해서 해보지도 않고 놓칠 것인가요? 설령 울렁증이 있더라도 자신이 가져갈 것이 있다면 극복해서라도 대가지불 해야 되는 거 아닌가요? 욕심만 많아서 '디지털 시대에 자신 분야를 80% 디지털화해서 온라인 건물주 되고 싶습니다.'라고 말만 하면서 자신 콤플렉스 극복을 하기 위한 시도도 하지 않는데 그 무엇을 이룰 것인가요? '성공은 하고 싶은데 노력은 하기 싫어요.'라는 태도는 가족, 팀원, 조직체원들을 책임지는 리더로써 가장 무책임한 태도라는 것을 명심하세요."라는 말로 리더 정신교육(동기부여)을 한다.

한마디로 콤플렉스, 상처, 트라우마를 피하려고만 하면 평생 피해야 한다. 콤플렉스, 상처, 트라우마라는 족쇄에 묶여 평생 함께해야 한다. 콤플렉스, 상처, 트라우마라를 극복하면 극복하는 순간 콤플렉스, 상처, 트라우마라는 족쇄에 자유로워지고 자신에 대한 자존감, 멘탈, 자신감, 메타인지가 초고속으로 충전된다. 콤플렉스, 상처, 트라우마 극복하는 데 도움이 되는 스토리를 참고하자.

콤플렉스, 트라우마, 상처는 얼음과 같다. 드러내면 드러낼수록 빨리 녹는다!

빛나는 모습 이면에 어두운 그림자가 있습니다.
장점이 있으면 단점이 있습니다.
낮이 있으면 밤이 있듯
이것이 자연의 이치입니다.
이제 알았습니다. 나의 콤플렉스도 내 것이라는 것을.
더 늦기 전에 감사하겠습니다.

그래 나 못생겼다! 그래 나 키 스머프다!
그래 나 가진 거 없다! 그래 나 학벌 없다!
콤플렉스 극복의 시작은 인정입니다.
나다운 방탄멘탈 공식

콤플렉스, 트라우마, 상처가 없는 사람은 없습니다. 누구나 있지만, 아무나 인정하고 그것 또한 내 삶이라고 받아들이지는 않죠.
행복한 사람들은 콤플렉스, 트라우마, 상처가 없어서 행복한 것이 아닙니다. 그것까지 내 것이라고 인정했기에 그것에서 벗어나는 것이 아니라 함께해야 한다는 것을 알고 그것에 신경을 덜 쓰기 때문에 일반 사람보다 자유로운 것입니다.

콤플렉스, 트라우마, 상처는 얼음과 같다.
양지에 두면, 드러내면 드러낼수록 빨리 녹는다.
그것이 녹으면 나다운 방탄멘탈은 단단해진다.
《나다운 방탄멘탈》

20,000명 상담, 코칭 하면서 알게 된 콤플렉스, 트라우마, 상처 고정관념이 있습니다.
대부분 사람들은 숨기려 합니다. 왜? 자신의 치부, 아픈 과거이기 때문입니다. 상대방이 알면 자존심, 체면이 구겨질까봐 지하 2,500m 마음속 깊이 숨깁니다.

상대방이 알면 나를 무시할 것 같고 두려운 마음이 생길까 봐 늘 콤플렉스, 트라우마, 상처와 연관된 말을 들으면 과민반응을 보입니다.

"나 상처 받았어. 나의 콤플렉스를 건드렸어! 두고 봐! 복수할 거야!"

누구나 콤플렉스, 트라우마, 상처가 있는데 그것도 모르고 장난이라고 건드리는 사람들이 1차적으로 문제가 있지만 그걸 알고 건드리는 사람은 대부분 없습니다. 모르고 실수로 건드리는 사람들이 90%입니다.

친한 사람한테도 콤플렉스, 트라우마, 상처 애기를 안 하는데 그 누구한테 하겠습니까?

대부분 사람들은 장난으로 모르고 말을 했는데 거기에 너무나 과민반응을 보이는 자신의 태도가 더 문제가 있습니다.

친한 사람과 관계를 지속적으로 하고 싶은 사람이 있다면 자신의 콤플렉스, 트라우마, 상처를 의도적으로 들어낼 수도 있습니다. 멘탈이 진짜 강하다면 들어 낼 수도 있습니다. 우연히 그런 애기가 나왔을 때 들어내야 합니다. "이런 상처, 트라우마가 있으니까 조심해줬으면 좋겠어." 사람의 심리는 뭘 알아야 조심합니다.

자신의 콤플렉스, 트라우마, 상처를 드러냈는데 의식 안

하고 조심 안 하고 말을 계속 한다면 500% 인연 끊어
야 할 사람이라고 신이 보내는 시그널입니다.
사람은 좋아하는 것보다 싫어하는 것을 안 할 때 더 믿
음과 신뢰가 쌓입니다.

《자기계발코칭전문가 2》

서커스단에서 코끼리를 길들이기 위해 쓰는 방법은 생
각보다 간단하다. 어렸을 적부터 아기 코끼리의 뒷다리
를 말뚝에 묶어 놓는 것이다. 그러면 아기 코끼리는 안
간힘을 써도 말뚝 주변을 벗어날 수 없다. 그렇게 시간
이 흐르면 코끼리는 스스로 말뚝 주변을 자신의 한계로
정해버린다. 성인 코끼리가 되어서 그 족쇄를 뽑아버릴
힘이 충분해져도 이제는 더 이상 시도조차 하지 않는다.
그래서 심지어는 말뚝을 빼도 평생을 그 주변에서 살게
된다. 코끼리가 바보 같은가? 자, 그러면 이렇게 생각해
보자. 코끼리(나 자신), 말뚝(주어진 상황) 코끼리는 말
뚝에 묶여 스스로의 한계를 규정짓고, 힘이 생겨도 평생
벗어나지 못한다. 나 자신은 주어진 상황에 묶여 스스로
의 한계를 규정 짓고, 능력이 생겨도 평생 벗어나지 못
한다. 당신이 무언가를 하려고 마음먹거나 무언가를 꿈
꿀 때는 언제나 '안 되는 이유'부터 떠올린다.
나는 연설가, PD, 광고인...가(이) 되고 싶은데 학력도
안 좋고, 인맥도 없고, 돈도 없어. 사실 그런 꿈들을 이

루기에 처음부터 딱 맞아떨어지는 사람은 없다.

처음에는 누구나 아기 코끼리처럼 실패도 하고 안 되는 이유도 많다. 하지만, 거기에 익숙해져 실제로 하면 되는데도 못 하는 일이라고 생각하게 되는 것이다. 스스로 자신의 한계를 정하지 말아라.

우리는 살면서 이런저런 것들에 몸소 부딪쳐보면서 자신의 능력을 알아가야 한다. 시도를 통해 몰랐던 것을 알게 되기도 하고, 잠재능력이 개발되기도 한다.

생각보다 자신이 더 그림을 잘 그릴수도, 말을 잘할 수도, 아이들을 잘 가르칠 수도 있다.

시도하지 않고는 모르는 것들이 너무 많습니다.

팔다리가 없는 채로 태어나, 수많은 사람들에게 감명을 주는 연설가가 된 닉 부이치치는 말한다. "최고의 장애는 당신 안에 있는 두려움이다." 스스로에 대해서 먼저 판단하고, 말뚝에 묶어두지 마세요. 그건 너무 잔인하잖아요. 끊임없이 자신의 능력을 탐구하고 도전해보는 것이 우리의 삶의 과제가 아닐까요?

<유튜브 열정에 기름 붓기>

카메라 울렁증이라는 말뚝(과거라는 족쇄), 마이크 울렁증이라는 말뚝(과거라는 족쇄), 무대 공포증이라는 말뚝

(과거라는 족쇄), 발표 불안증이라는 말뚝(과거라는 족쇄)... 등 누구나 있는 말뚝(과거라는 족쇄)을 누군가는 "내가 할 수 있겠어? 내 주제에? 내 스펙에? 내 스피치에?"라는 부정의 의문점으로 모든 것을 올 스톱하게 만든다.

누군가는 "어떻게 하면 극복 할 수 있을까? 까짓것 못하면 좀 어때! 니들은 처음부터 잘했냐. 하는 데 까지 해보자. 나의 한계가 어디까지 인지 도전해 보자. 내 허락 없이는 그 누구도 내 한계를 정할 수도 없고 정하게 두지 말자" 라는 긍정의 질문으로 시도한다.

리더여, 당신은 어떤 사람이 되고 싶은가?
리더여, 당신은 어떤 유튜버가 되고 싶은가?

다시 돌아와서 6. 영상 콘셉트, 기획 2에서 말하는 핵심 내용인 빔 프로젝트, 모니터, 프롬프터 가격 10만 원 ~ 100만 원, 얼굴만 안 나오게, 목소리만 나오게, 옆 모습, 정면, 썬글라스, 고글, 인형 탈, 타이거 마스크, 마스크, 의상, 의자, 일어나서, 이미지, 화장, BB크림, 성형, 시술...등을 설명하겠다. 영상 찍을 콘텐츠를 기획한 다음 촬영을 하기 위해 자신 영상에 주인공인 자신 모습, 얼굴 표정, 말, 의상... 등을 준비해야 한다. 필자가 하는 방법을 먼저 알려 주고 하나씩 설명하겠다.

▶ 최보규 리더유튜버 코칭전문가의 유튜브 영상 촬영을 하기 위한 기본 순서

1. 영상 콘텐츠 기획, 대본 기획("망고보드" 프로그램) → 2. 삼각대에 스마트폰 설치 → 3. 메인 노트북(대본 기획 한 것 화면 띄우기, 모니터 1, 2에도 노트북 화면이 나오게 연결) → 4. 스마트폰 오른쪽 모니터 1 → 5. 영상 주인공 오른쪽에 모니터 2 → 6. 오른쪽 조명 → 7. 무선마이크 순서로 배치한다. (사진 참조)

필자는 모니터를 빔 프로젝트처럼 활용하고 있다. 빔 프로젝트는 스마트폰으로 촬영하면 선명도가 떨어진다. 앞에서도 말했듯이 모니터는 대본을 보기 위한 컨닝페이퍼다. 모니터, 빔 프로젝트, 프롬프터... 등 자신이 편한 것으로 하면 된다. 장비에 돈을 얼마만큼 투자하느냐에 달렸다. 가장 좋은 것은 프롬프터이다. 개인이 쓰는 저렴한 프롬프터도 있다.

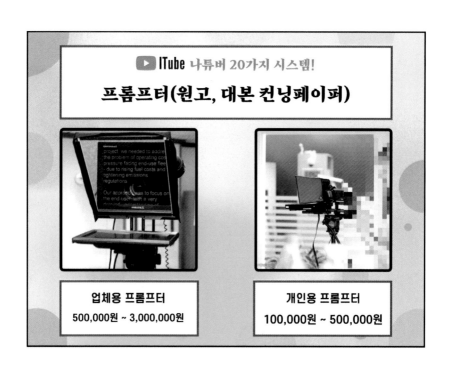

#. 프롬프터: 방송에서 원고, 또는 노래 가사 등을 띄워주는 장치. 간혹 텔레프롬프터라고도 하는데, 이는 개발한 회사의 이름이다. 프롬프터가 방송에서 가장 흔하게

사용되는 경우는 뉴스 프로그램이다.

앵커나 아나운서가 대략 1시간 가까이 방송을 진행해야 하는데, 방송이 몇 달에 하나씩 잡히는 것도 아니고 심하면 매일 진행해야 할 수도 있는데, 그 짧은 시간 안에 1시간 분량 원고를 전부 외우는 것은 현실적으로 불가능하다. 외울 수가 없으니 보고 읽어야 하는데 원고를 종이에 써서 읽으면 고개를 책상에 박고 들지 못할 것이다. 이 두 가지를 모두 해결해주는 방법은 바로 프롬프터이다.

<나무위키>

영상에서 어떤 이미지를 보여 줄 것인가? 자신 채널 방향에 따라 달라진다. 다른 채널 영상들을 보면서 자신에게 맞는 방향을 잡아야 한다.

얼굴만 안 나오게, 목소리만 나오게, 옆 모습, 정면, 썬글라스, 고글, 인형 탈, 타이거 마스크, 마스크, 의상, 의자, 일어나서, 이미지, 화장, BB크림, 성형, 시술... 등 영상으로 비춰지는 자신 모습을 어떻게 꾸미느냐에 따라 영상에 비춰지는 이미지가 달라진다. 하지만 가장 중요한 것은 자신 영상에서 삼성(진정성, 전문성, 신뢰성)이 느껴져야만 자신 영상에 나다움이 나오는 것이다.

삼성(진정성, 전문성, 신뢰성)이 느껴지는 영상의 기본은
자신 얼굴을 오픈하는 것이다. 콘텐츠에 따라서 달라지
겠지만 리더라면 자신 전문 분야 콘텐츠를 제작하기 때
문에 표정, 제스쳐, 스피치에서 삼성(진정성, 전문성, 신
뢰성)이 느껴져야 한다. 삼성(진정성, 전문성, 신뢰성)은
스펙이다. 학습, 연습, 훈련을 통해 익히는 것이다.

대한민국에서 리더 자신 분야 삼성(진정성, 전문성, 신뢰
성)을 학습, 연습, 훈련할 수 있는 곳은 www.방탄자기
계발사관학교.com 뿐이다

7. 촬영

- 카메라(스마트폰, 캠코더, 웹캠... 등), 마이크(야외, 실내), 조명(있고 없고는 지구와 태양 차이), 삼각대, 집, 사무실, 대여

유튜브 촬영 도구로는 수없이 많다. 그 중에 가장 손쉽게 영상 촬영을 할 수 있는 것은 누구나 있는 스마트폰이다. 필자가 영상 촬영 전문가는 아니기에 촬영 도구를 디테일하게 말을 할 수는 없다.

앞에서도 언급했듯이 그 어떤 일을 시작하기 전에 사전 조사, 준비가 있어야 하고 진행하면서도 끊임없이 자신 스타일에 맞는 방법을 찾기까지 유튜브 책, 영상을 보면서 공부를 해야 한다. 필자도 끊임없이 유튜브 영상 촬영 학습, 연습, 훈련을 통해 필자에게 맞는 스타일을 찾았다. 촬영에 필요한 도구, 노하우를 오픈 하겠다. 참고로 필자의 유튜브 콘텐츠는 교육 분야이기에 실내에서 하는 가장 기본적인 도구 설명을 하겠다.

1) 스마트폰

스마트폰으로 영상을 촬영할 때 가장 중요한 것이 있다. 수많은 유튜브 영상에서 스마트폰으로 촬영 할 때 이것이? 중요하다고 알려주는 유튜버가 드물었다. 필자도 이

기능을 몰라서 초기에 촬영했던 50개 영상 화질 수준이 떨어졌다.

스마트폰 동영상 촬영 기능 중 AF가 있다. AF는 자동 포커스라고 하며 AF는 스마트폰이 알아서 자동으로 초점을 잡아주는 것이다. 흔들림 현상, 화면 울렁울렁 현상을 막아 준다.

필자는 서서 촬영을 하는데 몸 움직임은 적지만 손 움직임은 많다 보니 AF를 잠금 상태를 유지 하지 않으면 손이 움직일 때마다 스마트폰이 초점을 잡기 위해서 렌즈가 움직이면서 잠깐잠깐 흐려지는 현상을 막을 수 있다. 영상을 시청하다가 빈번하게 흔들림 현상, 울렁울렁 현상이 나타나면 시청하는 사람들에게 불편함을 준다.

영상 콘텐츠 내용도 중요하지만, 기본적인 스마트폰 촬영 영상 기본 세팅도 중요한 것이다.

2) 삼각대

어설픈 스마트폰 거치대가 아니라 고정력이 좋은 삼각대여야 한다. 저렴한 것은 저렴한 가치밖에 하지 않는다. 필자도 저렴한 삼각대 사용 하다가 고장이 많아서 여러 개 쓰고 나서 알게 되었다

저렴한 삼각대 3개 ~ 4개 교체 가격으로 질 좋은 삼각대 하나가 좋다. 100년 유튜버 한다는 마음으로 질 좋은 삼각대를 사용하자.

3) 조명(최소한 한 개)

연예인들이 영화, 드라마, 인터뷰할 때 조명빨이라는 말이 나온 이유를 유튜버 하면서 알게 되었다. 편집할 때 필터를 사용해서 조명 효과를 낼 수도 있지만 원판 불변의 법칙이 있다. 원본 편집 할 때도 효과를 보는 것이다. 그래서 필자는 조명 한 개를 설치해서 촬영한다. 여러 개를 설치하면 더 좋겠지만 교육 콘텐츠이기에 기본만 한다. 촬영 얼굴 이미지는 조명빨이라는 말이 있듯이 조명이 있고 없고는 지구와 태양 차이다. 조명이 없으면 이쁘고 잘생긴 얼굴도 오징어 되는 건 0.1초면 가능하다.

4) 무선 마이크

유튜브 시청자들이 유튜브를 시청할 때 자신의 스마트 폰이 자신에게 맞는 음향으로 세팅이 되어 있다. 그래서 스마트폰 자체 녹음 소리로는 작게 녹음이 된다. 필자는 집에서 촬영하는데도 소리가 작게 녹음이 된다. 질이 떨어지는 영상은 첫 번째 화질이 좋지 않은 것이고 두 번째는 소리가 작은 것이다. 필자도 마이크를 구매하는데 시행착오를 거쳤다. 자신 콘텐츠에 맞는 마이크를 골라야 하는데 쉽지가 않다. 유튜브에 올라온 마이크 고르는 법을 검색하면 영상들이 많이 나온다. 그것들을 참고하면서 자신에게 맞는 시행착오, 대가 지불, 인고의 시간을 거쳐서 마이크를 찾아야 한다. 필자도 마이크를 10번의 시행착오, 대가 지불, 인고의 시간을 거쳐서 찾은 것이 <로데 와이어리스 고>다. 가격은 250,000원 ~ 350,000원이다.

필자가 마이크 하나 내 스타일에 맞는 것을 사기까지 왜! 10번의 시행착오, 대가 지불, 인고의 시간을 거쳤을까? 처음부터 <로데 와이어리스 고>를 샀다면 돈, 시간 낭비로 인한 스트레스를 겪지 않았을 것이다.

시중에 제대로 된 유튜브 사용 설명서가 없고 유튜브 코칭의 본질을 제대로 해주는 영상, 코칭 교육이 없기 때문에 필자가 독학으로 하다 보니 마이크 하나 제대로 고르는데 10번의 시행착오, 대가 지불, 인고의 시간을 거쳤다는 것이다. 그 어떤 직업도 마찬가지이다. 제대로 된 사용 설명서, 코칭을 받아야만 시행착오, 대가 지불, 인고의 시간을 줄일 수 있다. 어떤 사람을 만날 것인가? 어떤 사람과 어울릴 것인가? 어떤 사람과 100년 함께 할 것인가? 당신이 만나는 사람, 어울리는 사람이 당신의 미래고 당신의 행복을 좌지우지한다는 것을 명심하자! 그래서 유튜브 사용 설명서, 유튜브 코칭이 그 무엇보다 중요하다고 강조 강조하는 것이다. 이 책은 일반 유튜버가 아니라 리더 유튜버 사용 설명서, 코칭 전문서적이다. 검증된 전문가에게 제대로 배워야 돈, 시간 낭비를 줄일 수 있다.

5) 레이저포인트(파워포인트로 작업한 대본을 넘기기 위한 도구)

필자는 7G(출판사 대표, 작가, 심리 상담사, 코칭 전문가, 강사, 유튜버, 한집의 가장)직업이 있다. 그중 강사 직업이 본업이다. 강사 컨셉으로 유튜브 영상을 찍고 있다. 그래서 파워포인트(망고보드에서 대본 작업 해놓은 프로그램)슬라이드를 넘기는 도구인 레이저포인트를 사용한다. 리더 유튜버는 자신 전문 분야에서 쓰는 도구들을 연결시키면 활용도가 높아진다.

6) 의상

의상만 보더라도 어떤 콘텐츠 전문가인지 알 수가 있어야 한다. 연예인같이 풀 메이크업을 하고 의상도 멋지게 하라는 것이 아니다. 여유가 된다면 의상에 돈을 투자해서 할 수도 있다. 필자가 말하고 싶은 핵심은 사람은 시각적인 것을 중요시하는 심리가 있기에 영상에서 삼성(진정성, 전문성, 신뢰성)이 느껴지는 첫 이미지가 의상이라는 것이다. 그래서 전문성이 나오는 이미지, 전문가 의상을 선택해야 한다.

한 분야 전문가라고 하는 사람의 의상이 너무 편한 옷, 츄리닝을 입고 촬영을 한다? 당연히 옷으로만 판단하지 않겠지만 삼성(진정성, 전문성, 신뢰성)은 사소한 것들이 모여 프로가 되는 것이다. 삼성은 말만 잘한다고 나오는 것이 아니고, 학위만 있다고 나오는 것 또한 아니며 인기가 많다고 나오는 것도 아니다. 아마추어는 "그렇게까지 해야 되나?"라는 태도로 하고 프로는 "그렇게까지 하지 않으면 안 된다."라는 태도로 디테일을 신경 쓴다.

필자의 7G(출판사 대표, 작가, 심리 상담사, 코칭 전문가, 강사, 유튜버, 한집의 가장)을 통한 직업 전문가 의상을 참고하길 바란다.

최보규 리더유튜브 코칭전문가 코디

아마추어는 "그렇게 까지 해야 하나?"
프로는 "그렇게 까지 안 하면 안 된다!"

방탄자기계발사관학교
삼성(진정성, 전문성, 신뢰성)이 검증된 전문가!
150년 자기계발 주치의와 함께합시다!

7) 삼성이 느껴지는 표정, 삼성이 느껴지는 제스처, 삼성이 느껴지는 스피치는 3D, 4D 스피치다.
#. 삼성(진정성, 전문성, 신뢰성)

리더가 유튜브를 한다면 표정, 제스처, 스피치가 삼성(진정성, 전문성, 신뢰성)이 나와야 한다. 평상시에 리더십이 나오는 리더는 영상에서 리더십이 나올 것이고 평상시 꼰대십(리더병)이 나오면 영상에서 꼰대십(리더병)이 느껴질 것이다.

철저하게 연기로 꼰대십(리더병)을 숨길 수도 있겠지만 사람의 본성, 인성은 영상 편집을 잘할 지라도 풍기는 감정과 느낌에서 나오기 마련이다.

일반 사람들은 영상을 보면 모른다. 하지만 전문가들은 편집된 영상을 보더라도 리더십이 있는 리더인지 입만 살아있는 리더인지 알 수가 있다.
그래서 리더 유튜버는 삼성이 느껴지는 3D, 4D 스피치를 해야 하고 3D, 4D 스피치 학습, 연습, 훈련을 해야 한다. 그래야만 팀원, 조직체원들이 삼성을 느껴 따르라 말하지 않아도 따르게 된다.

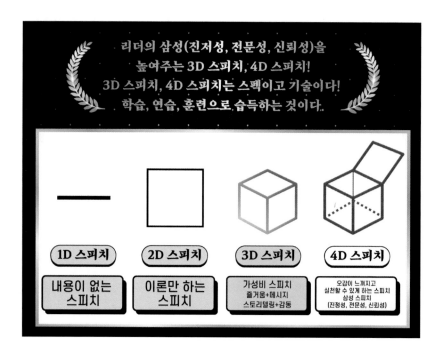

8. 편집 프로그램

- 키네마스터 어플(스마트폰) 편집 프로그램

- 곰믹스 프로(영구 사용 39,000원): 가장 쉽게 독학할 수 있는 프로그램. (영구 사용 유튜버 팩1: 70,000원 세트 = 곰믹스 프로+곰캠+곰플레이어)

★ 스마트폰 어플 동영상 편집 프로그램보다 PC 편집 프로그램을 추천한다. (마티즈와 벤츠 차이처럼 영상, 디자인 퀄리티가 다르다.)

리더 유튜버의 가장 기본 스펙은 영상 편집이다. 필자도 유튜버 하기 전에는 영상 편집을 1도 몰랐던 사람이었다. 하지만 유튜버를 시작 하면서 영상 촬영보다 더 중요한 것이 영상 편집이라는 것을 알았다. 아무리 영상을 잘 찍어도 영상 편집 없이 영상 업로드 한다는 것은 집에서 입는 잠옷을 입고 백화점에 가는 거와 같다는 것이다. 한마디로 상상도 못 할 일이라는 것이다. <9. 편집>에서 자세한 부연 설명을 하겠다.

리더 유튜버에게 가장 중요한 스펙이 영상 편집이기에 편집 프로그램을 잘 선택해야 한다. 유튜브에서 영상 편집프로그램을 검색하면 수많은 편집 프로그램 설명이 나온다. 필자가 조금씩 해보면서 필자 수준에 맞는 편집 프로그램이 곰 믹스프로 프로그램이었다. 20,000명 심리 상담, 코칭 하면서 알게 된 것은 스스로 영상편집 하는 리더, 전문 분야 있는 사람이라면 곰 믹스프로 프로그램 하나면 충분하다. 혼자서도 쉽게 할 수 있고 기본적인 영상편집도 할 수 있다. 코칭을 하다 보면 스마트폰 어플 편집 프로그램을 물어보는 리더가 있다.

스마트폰 어플 편집 프로그램이 나쁘진 않다. 하지만 분명한 것은 PC에서 하는 영상 편집 프로그램보다는 표현할 수 있는 것들이 턱없이 부족하다. (마티즈와 벤츠 차이처럼 영상, 디자인 퀄리티가 다르다.)

단순히 말하면 유튜브에 올라오는 영상 10개 정도만 보더라도 영상 편집 수준들이 방송국 수준이다. 유튜버들이 직접하는 사람도 있겠지만 대부분 인기있는, 연예인 유튜버들은 소속사에서 전문 편집자들에게 편집을 맡긴다. 영상미가 방송국 예능과 맞먹는 수준이다.

유튜브를 시청하는 사람들이 영상을 보고 판단하는 수준이 어떻겠는가? 시각적인 수준이 너무 높아져서 웬만한 편집 디자인은 쳐다도 보지 않는다. 이런 상황에서 스마트폰 어플로 편집 디자인을 한다? 스마트폰 어플로 편집, 디자인을 하는데 홍보 효과를 보겠다? 유튜브 현재 상황을 전혀 생각하지 않고 시간과 돈 낭비를 하는 것이다.

당연히 일반 사람이라면, 유튜버를 취미 생활로 하는 사람이라면, 가족과 지인들에게만 보여 줄 사람들이라면 대충 스마트폰 어플 편집 프로그램으로 해도 된다.

하지만 리더, 전문직, 전문 분야가 있는 사람이 유튜버를 하려면 대충해서는 안 된다는 것이다. 앞에서도 언급했듯이 유튜브 상황이 공영 방송보다 유튜브 시청 시간이 더 많다보니 전문 분야 사람들, 인지도 있는 사람들, 연예인들, 공영 방송들조차도 유튜브를 하고 있는데 대충 하면 되겠는가? 인지도 있는 사람들을 이기기 위해서 대충하면 안 된다고 말하는 게 아니라 자신 분야만큼은 세계 최고라는 것을 유튜브로 보여주기 위해 최선을 다하라는 것이다. 그래서 영상 편집 프로그램을 유료로 결제를 하고 영상 편집 교육, 코칭을 받아야 한다. 필자는 독학으로 곰 믹스프로 영상 편집 프로그램을 마스터 했다. 초보자도 쉽게 할 수 있는 프로그램이다. 하지만 아무리 쉬워도 모르면 세상에서 가장 어려운 것이고 알고 나면 세상에서 가장 쉬운 것이 된다.

20,000명 심리 상담, 코칭 하면서 알게 된 것은 이런 하소연을 하는 사람들이 많다.

"편집 기술력을 배우기 위해 많은 교육, 코칭을 받고 영상 편집하는 기본 실력은 되었습니다. 유튜버 영상 업로드 할 때만 편집 프로그램을 활용하다 보니 활용도가 너무 떨어집니다. 배운 영상 편집 기술력을 활용할 수 있는 방법들이 없는지요?"

한마디로 한 가지 기술력을 배웠는데 연결시킬 수 있는 방법을 모른다는 것이다. 영상 편집 교육, 코칭을 받을 때 연결하는 방법을 배우지 않았으니 당연한 것이다.

한 가지 일을 하는 데 도움 되는 게 하나 밖에 되지 않는다면? 당연히 의미부여, 동기부여가 떨어져서 유튜버를 하는 의욕이 없어진다. 하지만 한 가지 일을 하는데 7가지가 도움이 된다면? 7가지 수입일 발생이 된다면? 은퇴 준비, 노후 준비까지 할 수 있다면? 유튜브를 하는 의미부여, 동기부여가 어떨 것 같은가? 세계인구 80억 명 중에 80억 명이 유튜버는 돈이 안 된다고 말려도 유튜버를 하겠다고 한다.

필자에게 리더유튜브 코칭을 받은 사람들이 늘 하는 말이 있다. "대부분 유튜브 교육들이 수익창출 조건 한가지 밖에 교육, 코칭을 못하는데 어떻게 최보규 리더유튜브 코칭전문가는 유튜브 영상 편집 하나로 7가지 도움이 되는 방법, 자신 분야와 연결 시켜 7가지 수입이 발생 시키는 방법을 코칭 할 수 있는 거지?"

일반 유튜버와 필자와 무엇이 다른지 아는가?

나사 9계명(나튜브 사명감)에서 간접적으로 느꼈을 것이다. 일반 유튜버와 필자는 유튜브를 하는 목표, 방향, 가치, 사명감, 의미부여, 동기부여... 등 유튜버를 대하는 태도가 다르다는 것을 말이다. 한마디로 유튜브를 대하는 클래스가 다르다는 것이다. 그래서 유튜브를 하면 1년 안에 그만두고 나튜브를 하면 150년 지속할 수 있다고 자신있게 말을 하는 것이다.

이쯤에서 자신 분야와 연결시켜 7가지 수입 창출하는 방법의 세부적인 설명이 궁금할 것이다. 7가지 수입 창출 방법의 세부적인 설명들 최초로 오픈하니 집중해서 잘 따라오길 바란다. 정신 바짝 차려야 한다. 당신의 인생 터닝포인트가 될 수 있다.

지금 시대 한 분야 전문성으로는 살아남기 힘든 시대다. 자신 분야를 1가지, 3가지, 7가지... 를 연결할 수 있어야 검증된 전문가가 되는 것이고 수입을 극대화할 수 있다.

4차 산업 시대, 디지털 시대에 자신이 가지고 있는 기술력으로 수입을 극대화 시킬 수 있는 방법으로 연결을 시켜야만 지금 3고(고물가, 고금리, 고환율)시대에 살아남을 수 있는 것이다. 월급 빼고 쓰는 모든 것이 5G 속도로 오르고 있다.

다들 힘들고 어려운 상황 속에서 세상, 현실을 탓하기 전에 "나의 월급, 몸값, 가치를 어떻게 하면 올릴까?"라는 태도로 행동해야 한다. 그래서 유튜브 교육, 코칭을 처음부터 7가지를 연결할 수 있는 방법을 알려주는 교육자, 코칭 전문가에게 배워야 한다.

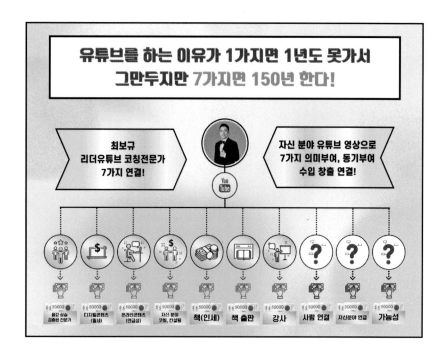

★★★★
유튜브 교육, 코칭을 누구에게 배우느냐에 따라
1년 안에 그만두느냐 150년 하느냐에 달렸다!

"편집 기술력을 배우기 위해 많은 교육, 코칭을 받고 영상 편집하는 기본을 배웠는데 써먹을 곳이 유튜브밖에 없네. 유튜브 하는 의미 부여, 동기부여가 안 된다. 배운 영상 편집 기술을 연결 할 수 있는 방법이 없을까? 썩히기 아까운 데. 시간이 아까운데. 그만할까?"

"와! 어떻게 최보규 리더유튜브 코칭전문가는 유튜브 영상 편집 기술력 하나로 7가지 도움이 되는 방법, 7가지 수입이 발생 되는 방법을 연결할 수 있지? 역시 유튜브를 처음 배울 때부터 7가지 연결 방법을 배워야 시간, 돈 낭비를 줄일 수 있지."

유튜버 교육, 코칭

경품 자기계발 책!

경력만 있는
전문가

경력은
스펙이 아니다!

9. 편집

- 영상 편집(지구와 태양 차이), 배경 음악(군과 특별시 차이, 저작권), 자막(지구와 태양 차이, 저작권), 사진 삽입(저작권), 효과(효과음, 예능 자막 편집 시간 2배 걸림, 콘텐츠에 따라 다름)

첫 번째, 영상 편집(배경 음악, 자막, 자막에 맞는 사진 삽입, 효과음)을 하느냐, 안 하느냐? 차이를 영화로 비유를 하면 2D 영화냐, 4D 영화냐 차이다.

두 번째, 영상 편집(배경 음악, 자막, 자막에 맞는 사진 삽입, 효과음)을 하느냐, 안 하느냐? 차이를 사랑으로 비유를 하면 한 번 만나고 믿음, 신뢰, 사랑 비전제시 없이 프러포즈하느냐, 1년(4계절을 겪으면서 감정 변화를 적응하는 시기)을 함께 하면서 믿음, 신뢰, 사랑 비전을 주고 프러포즈하느냐 차이다.

세 번째, 영상 편집(배경 음악, 자막, 자막에 맞는 사진 삽입, 효과음)을 하느냐, 안 하느냐? 차이를 결혼으로 비유를 하면 결혼식 하루(30분)를 위해서 신혼집, 스드메만 집착을 하느냐, 결혼 생활 100년을 위해서 부부행복(남편 13계명, 아내 13계명)학습, 연습, 훈련에 집중 하느냐 차이다.

네 번째, 영상 편집(배경 음악, 자막, 자막에 맞는 사진 삽입, 효과음)을 하느냐, 안 하느냐? 차이를 시청자가 이해하는 속도로 비유를 하면 2G 속도, 5G 속도 차이다.

다섯 번째, 영상 편집(배경 음악, 자막, 자막에 맞는 사진 삽입, 효과음)을 하느냐, 안 하느냐? 차이를 자동차로 비유를 하면 깡통 자동차, 풀 옵션 자동차 차이다.

여섯 번째, 영상 편집(배경 음악, 자막, 자막에 맞는 사진 삽입, 효과음)을 하느냐, 안 하느냐? 차이를 여자 화장으로 비유를 하면 노 메이크업, 풀 메이크업 차이다.

일곱 번째, 영상 편집(배경 음악, 자막, 자막에 맞는 사진 삽입, 효과음)을 하느냐, 안 하느냐? 차이를 요리로 비유를 하면 요리 재료인 당근, 양배추, 양파, 대파... 등을 통째로 넣느냐, 먹기 좋게 칼질해서 넣느냐? 차이다.

7가지 비유한 것을 보니 영상 편집 안 하느냐, 하느냐 차이가 얼마만큼 큰지 100% 감이 올 것이다. 유튜브 영상들을 보다 보면 어떤 영상은 이해도가 빠르고 어떤 영상은 이해도가 늦다. 그 차이점들이 영상에 유튜버가 말하는 이미지, 자막, 배경음악들이 있느냐 없느냐 차이라는 것을 알게 된다.

사람의 심리는 듣기만 하는 것보다는 시각적인 것을 더 잘 받아들이고 이해가 빠르다.

영상을 이해하고 받아들이는 효과 순서를 정한다면 첫 번째, 듣는 것. 두 번째, 듣고 보는 것, 세 번째, 듣고 보는 것(이미지), 네 번째, 듣고 보는 것(이미지, 자막), 다섯 번째, 듣고 보는 것(이미지, 자막, 효과음, 배경음악).

한마디로 유튜브 영상이 2D 영화처럼 밋밋 하느냐 4D 영화처럼 오감을 자극해서 생동감이 넘치느냐다.

단순하게 말을 하면 영상 편집을 대충 했다는 것이 티나는 영상이냐, 영상 편집을 할 때 콘텐츠 설명을 뒷받침해 줄 이미지, 자막, 효과음, 배경음악... 등을 넣은 정성이 들어간 영상이냐 차이다.

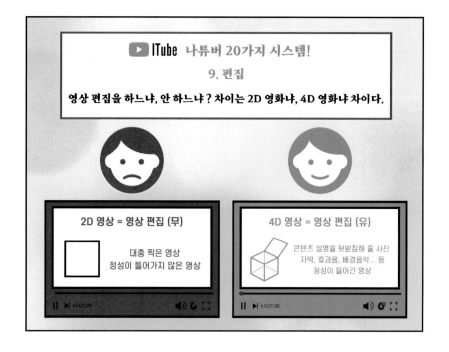

영상 편집

(배경 음악, 자막, 자막에 맞는 사진 삽입, 효과음)을 하느냐, 안 하느냐? 차이점!

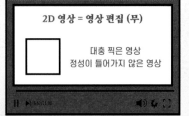

2D 영상 = 영상 편집 (무)

대충 찍은 영상
정성이 들어가지 않은 영상

4D 영상 = 영상 편집 (유)

콘텐츠 설명을 뒷받침해 줄 사진
자막, 효과음, 배경음악... 등
정성이 들어간 영상

---

1. 영화로 비유하면 2D 영화냐, 4D 영화냐 차이다.

2. 사랑으로 비유하면 한 번 만나고 믿음, 신뢰, 사랑 비전제시 없이 프러포즈하느냐, 1년(4계절을 겪으면서 감정 변화를 적응하는 시기)을 함께 하면서 믿음, 신뢰, 사랑 비전을 주고 프러포즈하느냐 차이다.

3. 결혼으로 비유하면 결혼식 하루(30분)를 위해서 신혼집, 스드메만 집착을 하느냐, 결혼 생활 100년을 위해서 부부행복(남편 13계명, 아내 13계명)학습, 연습, 훈련에 집중 하느냐 차이다.

4. 시청자가 이해하는 속도로 비유하면 2G 속도, 5G 속도 차이다.

5. 자동차로 비유하면 깡통 자동차, 풀 옵션 자동차 차이다.

6. 여자 화장으로 비유하면 노 메이크업, 풀 메이크업 차이다.

7. 요리로 비유하면 요리 재료인 당근, 양배추, 양파, 대파... 등을 통째로 넣느냐, 먹기 좋게 칼질해서 넣느냐 차이다.

영상 편집에서 중요한 것이 많지만 그중에서도 저작권 문제가 있다. 배경음악, 영상, 사진, 자막(폰트), 효과음... 등 저작권 문제가 생겨 유튜버를 그만 두는 사람이 적지 않다. 왜? 저작권문제가 많이 걸리는지 아는가? 무료 배경음악, 무료 영상, 무료 사진, 무료 자막(폰트)... 등 무료가 붙어 있는 것들이 다 무료가 아닌데 무료라는 말만 믿고 영상 편집을 하기에 저작권에 걸려 영상을 다 삭제하고 그만 두는 유튜버들이 많다는 것이다.

무료 배경음악, 무료 영상, 무료 사진, 무료 자막(폰트), 무료 효과음... 등이 다 자작권에 걸리는 것은 아니다. 진짜 무료들도 많다. 하지만 저작권에 걸리는 무료(무료라고 말하는 사람들이 검증을 제대로 하지 않고 배포를 한다.)들도 있다 보니 조심해야 한다. 그래서 될 수 있으면 영상 편집은 무료 프로그램이 아니라 유료 프로그램을 사용해야 문제가 생기지 않는 것이다.

유료 프로그램 안에서도 지켜야 되는 저작권 내용들이 있지만 배경음악, 영상, 사진, 자막(폰트), 효과음... 등을 저작권 문제없이 자유롭게 쓸 수 있는 장점이 있다는 것이다. 저작권 개념을 모르고 영상을 100개 올렸는데 뒤늦게 저작권 문제가 생겨 영상 100개를 만들기까지 시행착오, 대가 지불, 인고의 시간, 돈, 자신 열정, 스트레스 받았던 것... 등을 한순간에 삭제해야 된다면? 멘붕, 자붕(멘탈 붕괴, 자존감 붕괴)이 일어난다. 뒤에 나오는 <16. 왕관을 쓰려는 자 그 무게를 견뎌라! 유튜브 멘탈3>에서 자세한 부연 설명을 하겠다.

필자는 처음부터 저작권 문제를 공부하고 유료 프로그램(망고보드)으로 시작을 했기에 저작권 문제가 생기지 않았지만 20,000명 심리 상담, 코칭 하면서 알게 된 것은 많은 유튜버들이 저작권 문제로 인해서 그만두는 경우가 있었다는 것을 명심해야 한다. 그래서 영상 편집(배경 음악, 자막, 자막에 맞는 사진 삽입, 효과음)개념을 처음부터 검증된 전문가에게 배워야 한다는 것이다.

10. 영상 업로드

- 공개, 일부 공개, 비공개, 제목, 설명, 태그, 썸네일, 재생목록

#. 썸네일: 호기심 유발 50%, 정보 전달 50%, 소개팅 얼굴, 낚시질 안 됨(어그로), 파워포인트 작업(유료 프로그램 추천)

영상 편집이 끝나면 유튜브에 영상을 업로드하는 순서. 유트브 로그인 → 만들기(프로필 왼쪽 플러스 아이콘 클릭하면 동영상 업로드 아이콘이 있다.) → 파일 선택(편집한 영상 선택) → 제목 → 설명 → 미리보기 이미지(썸네일) → 재생목록 → 자세히 보기(태그) → 다음(동영상 요소: 자막 추가, 최종 화면 추가, 카드 추가는 설정하지 않고 넘어가도 된다.) → 다음 → 다음 → 공개 상태(비공개, 일부 공개: 주소 링크 있는 사람들에게만 공개, 공개, 예약)

영상 업로드에서 중요한 것들이 많지만 필자가 생각하는 것중에 가장 중요한 것은 썸네일이다. 유튜브를 시청하는 사람들이 영상 첫 이미지를 보고 시청을 할지 안할지 판단을 하기 때문이다. 하지만 썸네일 이미지와 영상 속 내용 차이가 크면 "낚였다. 낚시질 당했다."라는 개념으로 받아들여 채널 이미지가 부정적으로 각인되어

영상 시청을 하지 않게 된다. 오로지 조횟수를 올리기 위해 어그로(관심을 끌고 분란을 일으키기 위하여 인터넷 게시판 따위에 자극적인 내용의 글을 올리거나 악의적인 행동을 하는 일)를 끌기 위해 자극적이고 극단적인 썸네일은 하면 안 된다. 당신이 일반 유튜버라면 해도 상관은 없다. 다만 리더가 유튜버를 한다면 정직하고 양심적으로 해야 한다.

유튜브에 썸네일은 소개팅, 맞선, 인간관계에서 첫인상과 같다. 너무 화려하지도, 너무 초라하지도 않은 선에서 호기심, 관심, 비전, 배움, 매력... 등이 느껴져야 한다.

SNS 시대에 하루만 해도 사람들에게 화려한 광고 이미지, 화려한 영상 이미지, 화려한 사진들이 어마어마하게 노출이 되고 있다. 이런 상황, 환경에서 썸네일 이미지가 글씨만 있고 사진, 이미지가 초라하다면 호기심을 주지 못한다. 그래서 앞에서도 말했듯이 썸네일 만들 때 무료 프로그램보다는 유료 프로그램(망고보드)를 활용해서 제작하는 게 효율적이라는 것이다.

글씨만 있는 썸네일, 초라한 썸네일, 호기심을 자극하는 썸네일 비교 이미지를 참고하길 바란다.

195

11. 영상 업로드 1년 목표 50개 ~ 100개

- 1년 동안 영상 100개(52주×2개), 1년 동안 영상 50개(52×1개). 50개~100개 영상을 기획, 편집, 업로드 경험이 있어야만 "아~~~ 유튜브 내 스타일 감이 오네. 광고수입은 0원이지만 유튜브 감이 온다." 사람마다 다르겠지만 어떤 일을 하는데 시행착오, 대가 지불, 인고의 시간, 인계점을 넘어서야만 성장, 변화, 오래 지속하는 근육이 만들어진다는 것을 명심해야 한다.

다음은 자신, 자신 분야에서 인고의 시간이 절대적으로 필요하다는 것을 깨닫게 해주는 스토리텔링이다.

맹도견으로 유명한 리트리버 한 마리를 교회에서 기르는데 새끼를 아홉 마리나 낳았다. 꼬물꼬물 눈도 뜨지 못하고 젖을 먹던 강아지들이 한 달이 다 되어가자 드디어 눈을 떴다.
아들이 내게 물었다.
"다른 동물은 낳자마자 눈을 뜨고 심지어 뛰어다니기까지 하는데 왜 강아지는 눈을 못 떠요?"
내가 아들에게 물었다.
"개들은 무엇이 발달되어 있지?"
아들이 대답했다.
"냄새를 잘 맡아요. 코가 발달되어 있지요."

"바로 그거야. 후각을 발달시키기 위해 하나님은 강아지를 한 달 동안 눈을 뜨지 못하게 한 것이 아닐까. 어떤 능력을 기르기 위해선 절대적인 시간이 필요하거든."

《그러니까 상상하라》

곤충학자 찰스 코우만은 애벌레가 나비가 되기 위해 고치 구멍을 뚫고 나오는 광경을 지켜보고 있었다. 고치에 난 조그마한 구멍으로 나비가 비집고 나오느라 필사의 노력을 하다 힘에 겨운 듯 잠시 잠잠해졌다. 죽은 것이 아닌가 하고 손가락으로 살며시 건드리자, 또 필사적인 탈출을 시도하지만 도무지 진도가 나가지 않았다. 몇 시간을 기다렸지만 나비는 그 작은 구멍을 뚫고 나오지 못했다. 이래서야 영영 나오지 못할 것 같다는 생각이 들었다. 찰스 코우만이 보다 못해 안타까운 마음에 가위로 주위를 조심스럽게 잘라 구멍을 넓혀주자, 예상대로 나비는 쉽게 고치 밖으로 나왔다.

그런데 쉽게 고치를 빠져나온 나비는 다른 나비들에 비해 몸통이 아주 작고 가냘프고 찌부러진 날개를 가지고 있었다. 찰스 코우만은 '곧 날개를 활짝 펴고 커서 튼튼해지겠지!' 하고 기대하면서 계속 지켜봤다. 그러나 실망스럽게도 그 나비는 말라 비틀어진 몸뚱이와 찌그러진 날개를 지닌 채, 날지도 못하고 땅바닥을 기어 다니다 얼마 못 살고 죽어버렸다.

콘충학자 찰스 코우만은 자신의 실수를 이렇게 고백했다. 아이도 성장하는 과정에서 스스로 감당해야만 하는 과정이 있다. 고치 구멍을 스스로 뚫고 나오지 못하면 하늘을 향해 날아오를 힘을 가질 수 없다.

《부모라면 놓쳐서는 안 될 유대인 교육법》

누적 관객 1억 명의 황정민 배우 연봉 300만 원으로 21년 무명을 버틴 비결

"저도 늘 배우를 꿈꿔왔는데 이렇다 할 기회가 아직 안 와서 계속 기다리고 있습니다. 솔직히 기회가 많지 않아서 답답해요." 황정민 배우는 그 말을 듣고는 이렇게 답했다. "아쉽고 짜증 날 거예요. 저도 그랬으니까요. 근데 어쩔 수 없어요. 기다려야 해요. 저도 꽤 오랫동안 무명으로 대학로에 있었어요. 그 때 연봉이 300만 원이었습니다. 월급 말고 연봉이 300만 원이었어요. 제가 하고 싶은 말은 뭐냐면요. 언제가 됐든 자신이 하고 싶은 일에 대해서 프라이드가 있어야 되고 자랑스러워야 해요. 그래야 배우가 돼요. 그게 없으면 배우가 될 수 없어요. 내가 이 일에 대해 얼마나 고민하고 몰두하고 공부하고 있는지를 스스로에게 한 번 더 물어보세요. 그렇게 조금씩 조금씩 하다 보면, 주변에서 본인을 찾게 돼요. 잘하니까 인정하게 돼요. 어느 순간." "안 찾으면 어떻게 해요?" "찾게 되요 100% 찾아요." "제동씨가 저 얼굴에

어떻게 뽑혔겠어요. 저 사람만이 가지고 있는 상대방 마음과 마음을 읽을 수 있는 능력이 있잖아요. 기다리세요. 그 일에 대해 확신을 가지고 신념을 가지고 자신을 자랑스러워하세요. 분명히 됩니다."

<힐링캠프 황정민VS500인편>

갓 태어난 강아지의 눈이 한 달 동안 보지 못하는 이유는 강아지의 장점인 청각, 후각에 집중하게 해서 발달시킨 것이고 황정민 배우가 연봉 300만 원 받으면서 21년간 무명 시절을 겪고 빛을 보게 된 것 또한 자신의 장점에 집중을 했기 때문이다.

강아지의 눈 뜨는 시기는 자연의 이치로 한 달이라는 시간이 정해졌지만 자신 분야의 눈 뜨는 시기는 그 누구도 모른다. 사람에 따라서 자신 분야의 눈 뜨는 시기가 1년, 3년... 10년, 30년, 100년 걸릴 수도 있다.

20,000명 심리 상담, 코칭 하면서 알게 된 것은 코칭 전문가로서 단언컨대 말할 수 있는 건 자신만의 시행착오, 대가 지불, 인고의 시간을 그냥 시간의 흐름 속에서 아무 변화 없이 경력만 쌓고 버티기만 하는 것이 아니라 어제보다 0.1% 나음, 변화, 성장, 배움이 동반되는 시행착오, 대가 지불, 인고의 시간이 있을 때 자신 분야

에 눈을 뜨는 때가 온다는 것이다. 자신 분야의 눈을 뜨는 시기를 앞당기는 건 전적으로 어떤 전문가를 만나느냐에 달렸다.

《방탄 리더 코칭 7》

어떤 일이든 자신 스타일이 나오기까지 시행착오, 대가 지불, 인고의 시간이 절대적으로 필요하다.

자신의 스타일이 제대로 나왔을 때 기획한 영상 내용 전달이 잘 되어 메뚜기 구독자들이 아니라 단골 구독자들이 생기는 것이다. 그전에는 수습 기간이라는 태도가 중요하다. 그래서 처음부터 자신 분야 홍보 영상을 올리면 손해다. 내 스타일이 안 나온 상태에서 자신 전문 분야 홍보는 안 하는 것만 못하다.

한번 생각해 보라 우연히 내 영상을 보고 채널을 들어가 보았더니 영상이 10개뿐이라면? 볼 것이 별로 없다면? 구독하겠는가? 그래서 볼거리를 많이 만들어 놓은 상태에서 자신 분야 홍보를 하더라도 다른 볼거리가 있기 때문에 구독을 하고 단골이 되는 것이다. 예를 들면 A편의점에 갔는데 상품이 10개, B라는 편의점에 갔는데 상품이 100개라면 어느 곳을 가고 단골이 되겠는가? 당연한 결과다.

유튜버 첫 번째 고비, 임계점을 넘어서기 위한 시기가 1년 안에 영상 50개~100개 만들었을 때이다.

유튜버 눈 뜨는 시기!

새끼 강아지 눈 뜨는 시기?

10일 ~ 2주 눈만 뜸
3주 ~ 4주 정상 시력

II ▶I 6:52/21:00 ◀) ⚙ ⌐⌐

유튜버 눈 뜨는 시기?

1년 안에
50개 ~ 100개 영상
기획, 편집, 업로드 경험

II ▶I 6:52/21:00 ◀) ⚙ ⌐⌐

12. 홍보

- 개인 SNS 활용, 네이버 블로그, 티스토리, 페이스북 페이지, 카카오TV, 네이버TV, 카카오톡, 밴드, 인스타그램, 카카오스토리, 숏츠, 청중, 교육 담당자, 명함, 강사 프로필...유료 홍보 등 홍보하는 목적이 오로지 혼자만 잘 살기 위한 것이 아닌 함께 잘 되기 위한 목적이 있는 홍보가 되어야 한다. 그러기 위해서는 콘텐츠 기획, 제작부터 우리, 함께를 위한 콘텐츠 제작을 해야 한다.

영상을 보면 도움이 되고 유익한 영상인지 도움이 안 되고 사심이 많이 들어간 영상인지 전문가가 아니더라도 누구나 느낄 수 있다.

자신 채널에 자부심, 사명감이 있어야만 자신 있게 만나는 사람들에게 홍보를 할 수 있다. 20,000명 심리 상담, 코칭 하면서 알게 된 것은 코칭 받는 리더들이 "조횟수, 구독자가 많아야 자부심, 사명감이 생기는 거 아닌가요?"라는 질문을 많이 한다. 틀린 말은 아니다. 사람의 심리는 조횟수, 구독자가 많으면 잘 되는 채널이기에 자부심, 사명감이 생길 수 있다. 하지만 진정한 자부심, 사명감은 하는 일이 잘되지 않을 때도 자신의 행동에 대한 믿음(목표, 방향, 이루고 싶은 것들)이 있을 때 자부심, 사명감이 나온다.

유튜버들 사이에 구독자가 깡패라는 말이 있다. 한마디로 구독자가 많으면 모든 것이 인정된다는 것이다. 그래서 유튜버 하는 사람을 만나면 해병대끼리 만나면 "해병대 몇 기세요?"라고 기수를 물어 보듯이 "구독자 몇 명이세요?" 물어보고 자신보다 구독자수가 낮으면 자부심이 높아지고 자신보다 높으면 자부심이 낮아진다. 구독자수에 따라서 자부심, 사명감이 나온다는 말이 있다.

구독자 1,000명 자부심, 1만 명 자부심, 10만 명 자부심, 100만 명 자부심... 등이 있다. 여기서 이런 의문점이 들지 않은가? "그럼 최보규 리더유튜브 코칭전문가는 몇 명 자부심 일까?" 필자의 유튜버 자부심이 몇 명 자부심인 줄 아는가? 놀라지 마라 깜짝 놀랄 것이다.

《리더는 유튜브가 아닌 나튜브 1, 2, 3》 책을 쓸 정도이니 유튜버 자부심이 어마어마 할 거 같지 않는가? 필자의 유튜버 자부심은 80억 자부심이다.

이 책을 보고 있는 당신의 속마음이 느껴진다. "헉 2023년 기준 유튜버 세계 1위 구독자 수를 가진 채널 <Mr Beast>이 1억 3천 7백 만 명 구독자인데? 구독자가 80억 명이라고? 무슨 소리야?"

누군가는 구독자 수가 자부심이라고 하지만 필자는 구독자 수가 자부심이 아니라 유튜버를 어떤 태도로 하느냐에 따라서 자부심이 달라진다는 것을 말하는 것이다. 필자는 일반사람들이 말하는 구독자수에 따르는 자부심, 사명감이 아니라 80억 자부심이라고 말을 하는 이유는 세계 인구가 80억 명이다. 그렇다면 최보규라는 사람은 80억 명 중 한 명이라는 것이다. 최보규 다운 콘텐츠는 최보규 밖에 만들 수 없기에 최보규라는 사람은 80억 명 중 한 명이기에 80억 자부심이라고 말을 하는 것이다.

유튜버 자부심이 80억 자부심이다 보니 실제 구독자가 1,700명밖에 되지 않지만 구독자가 1,000만 명을 가지고 있는 유튜버도 쓰지 못하는《리더는 유튜브가 아닌 나튜브 1, 2, 3》유튜버 책을 쓸 수 있는 것이다. 다음 이미지로 필자의 자부심, 사명감을 간접적으로 느낄 수 있을 것이다.

▶ 나사(나튜브 사명감)

♥ 구독자 한 명은 250명과 같고 100년 함께 할 사람.
♥ 함께 잘 먹고 잘살자. 사람을 살리는 유튜버다.
♥ 내 분야 전문성을 올리는 최고의 학습 도구.
♥ 영상 하나는 10억의 가치, 작품을 만든다.
♥ 배워서 남 주자! 삼성(진정성, 전문성, 신뢰성).
♥ 1~2년 인스턴트 플랫폼이 아닌 100년 플랫폼.
♥ 사람들의 꿈, 목표를 이루게 해주는 유튜버다.
♥ 유튜버는 공인이다! 악영향이 아닌 선한 영향력을 주는 유튜버!
♥ 사람들에게 희망, 변화, 성장, 배움, 돈을 벌게 해주는 유튜버다.

▶ 나사(나튜브 사명감)

단기간에 구독자, 조횟수
올리는 방법 알려주는 유튜버는 많다.
단언컨대
유튜버 100년 하는 방법 알려주는
유튜버는 세계에서 단 한 명
최보규 리더유튜브 코칭전문가뿐이다!

13. 시청 시간 늘리기, 구독자 늘리기, 조횟수 늘리기, 채널 성장

- "자신 채널을 분석해야만 시청 조횟수, 구독자 수가 는다."라는 말을 하는 유튜버들이 많다.

50개 이하 영상을 올려놓고 자신 채널을 분석한다? 어림도 없는 생각이다. 기본 100개(유튜브가 적용되고 익숙해지는 시기)이상은 올려놓고 자신 채널 분석, 시청 시간, 구독자, 조횟수 올리는 방법들 공부하기 위해 유튜브에서 찾아봐야 한다.

시청 시간 늘리기, 구독자 늘리기, 조횟수 늘려서 채널 성장시키기 위한 방법, 공식은 유튜브에서 검색만 해도 어마어마하게 많다. 하지만 방법, 공식보다 선행되어야 할 것은 자신 채널이 추구하는 목표, 방향이 제대로 되어 있어야 하고 자신, 자신 분야에 삼성(진정성, 전문성, 신뢰성)이 영상에서 보이지 않는다면 시청 시간, 구독자, 조횟수를 많이 늘리더라도 오래 지속하지 못한다는 것이다.

시청 시간 늘리기, 구독자 늘리기, 조횟수 늘리기 위한 꼼수, 어그로, 편법(창작이 아닌 AI 프로그램을 활용한 타 채널 영상 복사)을 활용해서 유튜브를 운영을 하기에 구독자가 많은 채널들이 하루아침에 사라지는 이유다.
<유튜브 하면 1년 안에 그만두지만 나튜브하면 150세까지 한다!>에서 언급을 했던 350만, 250만, 200만, 100만, 50만, 10만, 5만...구독자를 가지고 있었던 유튜버들이 유튜브를 떠난 이유 중 하나가 시청 시간 늘리기, 구독자 늘리기, 조횟수 늘리는 방법에 집착을 하기 때문이다. 한마디로 돈에 집착을 하기 때문이라는 것이다.

자신, 자신 분야 삼성(진정성, 전문성, 신뢰성)이 기본 전제가 되지 않으면 시청 시간 늘리기, 구독자 늘리기, 조횟수 늘리는 방법, 공식을 알더라도 유튜버를 오래 지속하지 못 한다는 것이다. 당연히 시청 시간 늘리기, 구독자 늘리기, 조횟수 늘리는 방법, 공식으로 돈을 벌고 유튜버를 유지하는 사람도 있다.

채널 분야에 따라 다르겠지만 특정 콘텐츠(인기 있는 영상)아닌 이상 일반 사람이 유튜버 자체만으로는 돈을 벌 수 없는 시대다.
운 좋게 한 영상 떡상해서 구독자, 조횟수가 많아진다고 돈을 벌고 오래 하는 것이 아니라는 것이다. 이제는 유튜브 환경이 개나 소나 닭이나 할 수 있는 상황이 아니라는 것이다. 리더 유튜버는 더 더욱 힘들다는 것이다.

유튜브를 어떻게 하면 "시청 시간 늘리기, 구독자 늘리기, 조횟수를 늘려서 돈을 벌까?"라는 얄팍한 생각이 아니라 "리더 자신 분야와 연결 시켜 삼성(진정성, 전문성, 신뢰성)을 높일까"라는 리더다운 효율적인 생각을 해야 한다. 영상에서 삼성(진정성, 전문성, 신뢰성)이 느껴지면 시청 시간, 구독자, 조횟수에 언연하지 않고 오래 지속 할 수 있다.

리더가 유튜버를 한다면 최고의 시청 시간 늘리기, 구독자 늘리기, 조횟수 늘리는 최고의 방법, 공식은 영상에서 삼성(진정성, 전문성, 신뢰성)을 느끼게 해주는 것이 가장 좋은 방법이라는 것을 명심하자!

14. 돈은 무조건 번다. 연결하는 방법을 모를 뿐! 유튜브 멘탈 1

- 영상 50개~100개 되기 전까지는 닥고!(닥치고 GO: 무조건 해라! 그냥 해라! 이유 묻지 말고 해라!)

영상 50개면 50레벨이다. 유튜브는 만렙이 없다! 영상 개수에 따라 자신 분야도 같이 성장, 변화, 업그레이드 되어야 오래 유지를 할 수 있다.

상식적으로 생각을 해보라. 어떤 일이든 3개월 적응 기간이고 1년은 해보고 나서 "된다! 안 된다!"라는 말을 할 수 있는 것인데 영상 10개 제작해보고 몇 개월 해보고 유튜브가 "된다? 안 된다?"라는 말을 한다는 것은 개념 없는 행동이다. 불로소득을 바라는 썩어빠진 태도라는 것이다.

그 어떤 일이든 마찬가지다. 일반 직장을 다니더라도 3개월 적응 기간이고 1년은 다녀보고 판단을 해야지 몇 개월 해보고 이렇다, 저렇다 말 한다는 것 자체가 너무 생각 없이 인생을 사는 것이고 초등학생 태도라는 것이다. 부끄러운 줄 알아야 한다. 리더가 유튜버를 한다면 더 더욱 끈기를 가지고 해야 한다.

300만 구독자를 가지고 있는 채널도 하루아침에 끝나는 상황도 생긴다. 그 이유는 인성, 자존감, 멘탈 때문에 끝난다. 유튜버는 준 연예인이라는 태도로 보여지는 모습, 생활 속에서 하는 행동들을 조심하고 주의해야 한다. 영상에서 보여주는 모습들대로 살려고 노력해야 오래 유지를 할 수 있는 것이다. 유튜브에서 보여주는 모습과 자신 삶과 차이가 너무 많이 나면 인스턴트 유튜버가 되어 힘들어진다.

20,000명 심리 상담, 코칭 해보면서 알게 된 것은 우을증으로 힘들어 하는 사람들 특징이 사랑, 인간관계, 관계... 등 인생 속에서 사람들 앞에서 보여지는 모습과 생활 속에서 행동하는 것들이 너무 차이가 나서 힘들어 한다는 것이다. 당연히 대중들에게 노출이 많이 되는 직업을 하고 있다면 어느 정도 이미지관리를 해야 하는 건 맞다. 하지만 이미지관리(모습, 태도, 인성, 사람 됨 됨이... 등)가 가식적인 것이 많다면 광대, 삐에로 인생인 것이다. 다음은 광대, 삐에로 인생이 어떤 것인지 깨닫게 해주는 내용이다.

광대, 삐에로 인생
남들 하는 거 다 따라 하고
남들이 귀찮아서 게을러서
안 하려 하는 것도 다 따라하며 사는

사람은 광대, 삐에로와 같다.

내가 웃는게 웃는게 아닌 인생!

광대, 삐에로 인생!

인생이라는 무대에서 나답게 살지 못해서

남들에게 보여주는 것에 집착하여 우울하게 사는

광대, 삐에로 인생.

나란 사람은 없고

세상, 현실, 주위 사람들에게

존중, 인정, 사랑받기 위해

착한 아이가(착한아니 콤플렉스)되어

진짜 웃음을 잃어가는

광대, 삐에로 인생.

광대, 삐에로는 화려한 화장과 즐거운 표정으로 사람들에게 웃음을 주는 캐릭터다. 우울증이 오는 사람들 특징 중의 하나는 착한 아이 콤플렉스가 있다는 것이다. (착한 아이 콤플렉스: 부정적인 정서, 감정을 숨기고 타인의 말에 순응하면서 착한 아이가 되려고 하는 경향) 자신의 감정을 다 표현하라는 것이 아니다. 상황에 맞춰, 자신의 감정에 맞춰 싫은 것은 싫은 표현을 잘해야 된다는 것이다. 스마트폰 시대의 사람들은 표현을 잘 못한다. 왜 그럴까? SNS, 채팅, 댓글 문화라서 글로만 감정교류, 관계를 하다 보니 감정 표현 능력이 떨어지는 것이고 사람을 만나서 말하는 것도 힘들어하는 사람들이 늘어나고 있다. 댓글로는 웃고 있는데 마음은 울고 있다.

《나다운 방탄 카피 사전》

세상, 현실, 주위 사람들 시선에 끌려가는 인생을 살 것인가 나다운 인생으로 끌어가는 인생을 살 것인가? 끌려가는 리더 유튜브를 할 것인가, 끌어가는 리더 나튜브를 할 것인가?

15. 돈은 무조건 번다. 연결하는 방법을 모를 뿐! 유튜브 멘탈 2

- 유튜브를 그만두는 가장 큰 이유가 100명이면 100명 모든 사람이 수익이 발생하지 않아서라고 하는데 단언컨대 아니다.

수익을 발생하기까지 버틸 수 있는 멘탈 관리를 못해서 그만둔다. 수익이 발생 안 되는 상황에서 여러 가지 수입을 창출 할 수 있는 연결 방법이 있는데 오로지 유튜브 자체에서 제공하는 유튜브 수익 창출 2가지 조건 (1,000명 구독자, 1년 동안 4,000시간 시청)이라는 동기부여로 하기에 동기부여 했던 한 가지(수익창 출 2가지 조건 달성)방법이 돈이 안 되면 300% 그만 둔다는 것이다.

앞에서도 언급을 했듯이 10만 구독자를 가지고 있는 유튜버가 한 달 수입이 평균 몇 만원 ~ 몇 십만 원밖에 안 된다면 멘탈이 붕괴된다는 것이다. 멘탈을 잡기 위해서는 자신 분야와 연결 할 수 있는 방법, 여러 가지 동기부여로 멘탈 관리를 해야 한다.

구독자가 많다고 수익이 보장되지 않는 게 유튜브 구조이다. 이것이 2023년 유튜버 현실이다.

앞에서도 말을 했듯이 필자는 2023년 기준으로 횟수로 5년차이고 구독자가 1,700명이다. 아직도 수익 창출 조건 2가지 중 한 가지(1년 동안 4,000시간)를 달성 못해서 유튜브 자체에서 주는 광구 수입이 5년 동안 0원이다. 그런데 왜왜왜왜왜 하고 있을까? 누군가는 이렇게 생각 할 수도 있을 것이다. "돈 신경 안 쓰고 취미생활로 하는 거 아닌가?" 솔직히 순수하게 취미생활로 할 수도 있다. 하지만 유튜버를 취미생활로 한다는 게 보통 일이 아니다.

일반 취미는 다수에게 노출이 안 되는 취미인데 유튜버는 불특정 다수(세계 인구 80억 명)에게 노출이 되다 보니 어떤 욕을 처먹을지 모르고 어떤 악성 댓글이 달릴지 모르는 플랫폼이다. 그 누가 취미로 하는데 욕을 먹는다면 취미로 하겠는가? 말도 안 되는 것이다. 그래서 말이 쉽지 유튜버를 취미로 한다는 것은 말장난 밖에 되지 않는다.

필자가 5년 동안 광고 수입은 0원이었지만 지속적으로 할 수 있었던 것은 내 분야를 수입 창출 할 수 있는 방법 여러 가지를 연결시키고 여러 가지 동기부여를 했기에 가능했다는 것이다. 연결 방법, 동기부여 방법들 참고해서 벤치마킹하길 바란다.

한쪽 문이 닫히면 "나 안 해!"라는 태도가 아니라 "다른 문을 어떻게 하면 열 수 있을까?"라는 태도가 삼성(진정성, 전문성, 신뢰성)을 만든다는 것을 명심해라!

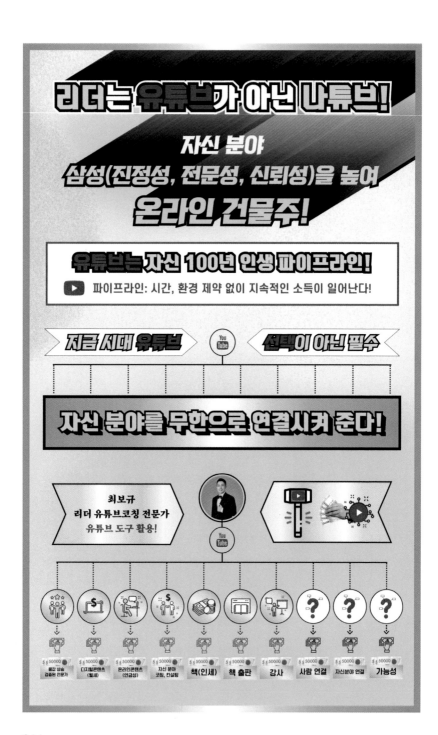

유튜브 영상 200~300개 제작으로 책 100권 출간!

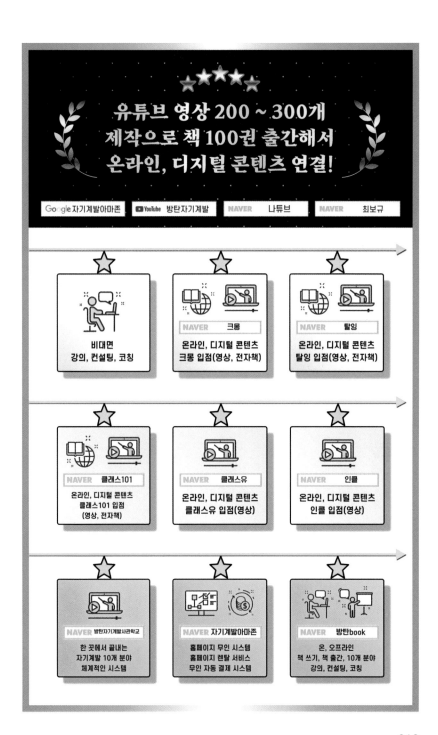

유튜브 영상 200 ~ 300개
제작으로 책 100권 출간해서
온라인, 디지털 콘텐츠 연결!

| Google 자기계발아마존 | ▶YouTube 방탄자기계발 | NAVER 나튜브 | NAVER 최보규 |

비대면
강의, 컨설팅, 코칭

NAVER 크몽
온라인, 디지털 콘텐츠
크몽 입점(영상, 전자책)

NAVER 탈잉
온라인, 디지털 콘텐츠
탈잉 입점(영상, 전자책)

NAVER 클래스101
온라인, 디지털 콘텐츠
클래스101 입점
(영상, 전자책)

NAVER 클래스유
온라인, 디지털 콘텐츠
클래스유 입점(영상)

NAVER 인클
온라인, 디지털 콘텐츠
인클 입점(영상)

NAVER 방탄자기계발사관학교
한 곳에서 끝내는
자기계발 10개 분야
체계적인 시스템

NAVER 자기계발아마존
홈페이지 무인 시스템
홈페이지 렌탈 서비스
무인 자동 결제 시스템

NAVER 방탄book
온, 오프라인
책 쓰기, 책 출간, 10개 분야
강의, 컨설팅, 코칭

⭐⭐⭐⭐⭐

유튜브 영상 200 ~ 300개
제작으로 책 100권 출간하여
온라인, 디지털 콘텐츠 연결 시켜
50층 온라인 건물주!

| Google 자기계발아마존 | ▶ YouTube 방탄자기계발 | NAVER 나튜브 | NAVER 최보규 |

온라인 플랫폼 디지털 플랫폼	온라인, 디지털 콘텐츠 수입 발생 (무인 시스템)	100년 월세, 연금 발생
자기계발아마존 1층 ~ 3층	온라인 건물주 되는 자격증 교육! 온라인 강사코칭전문가2급 온라인 자기계발코칭전문가2급 / 리더십코칭전문가2급 자존감, 멘탈, 습관, 행복, 사랑, 웃음, 강사, 책쓰기, 유튜버, 리더십 10개 분야 코칭 / 영상 / 전자책	자격증, 재교육, 강사섭외 코칭, 종이책 전자책 수입 발생
클래스유 4층	자신 분야 삼성(진정성, 전문성, 신뢰성)을 높여 제2수입, 3수입 올리는 방탄자기계발 재태크 / 영상	영상, 자격증, 강사섭외, 코칭 종이책, 전자책 수입 발생
클래스101 5층 ~ 15층	강사 분야, 사랑 분야, 습관 분야, 자존감 분야 행복 분야, 자기계발 분야 영상 원포인트 클래스 / 전자책	영상, 강사섭외, 코칭 종이책, 전자책 수입 발생
크몽 16층 ~ 22층	강사 분야, 사랑 분야, 습관 분야 자존감 분야, 행복 분야, 자기계발 분야 영상 / 코칭 / 전자책	영상, 자격증, 강사섭외, 코칭 종이책, 전자책 수입 발생
탈잉 23층 ~ 25층	자존감 분야, 습관 분야, 행복 분야 영상 / 전자책	강사섭외, 코칭 종이책, 전자책 수입 발생
인클 26층	4차 산업시대는 4차 자기계발인 방탄자기계발 재테크 / 영상	영상, 자격증, 강사섭외, 코칭 종이책, 전자책 수입 발생
온라인 서점 디지털 서점 27층 ~ 50층	출간 한 31권 자기계발서 종이책 , 전자책	검증된 전문가 강사료 10배 상승

16. 왕관을 쓰려는 자 그 무게를 견뎌라! 유튜브 멘탈 3
- 악성 댓글? 비난? 모욕? 멘탈, 자존감 붕괴로 인한 상처? 뭘 해도 욕하는 사람이 있다. 1~100가지 다 태클을 건다. 연예인이 악성 댓글로 인해 극단적인 선택을 하는 이유를 간접적으로 알게 된다. 그래서 끊임없이 멘탈관리를 해야 한다.

그만큼 유튜브 플랫폼이 한편으로는 자신 분야 수익을 1,000배 올려 줄 수 있는 양날의 검이라는 것을 알아야 한다.

20,000명 심리 상담, 코칭 하면서 알게 된 것은 유튜버를 1년 안에 무조건 그만두는 사람들 태도, 100년 동안 지속 할 수 있는 사람들 태도가 다르다는 것을 알았다.

유뷰버는 1년 안에 500% 무조건 그만두는 사람들의 태도!
"성공하고 싶어요. 노력하기는 싫어요! 하지만 악성댓글, 모욕, 치욕, 인격모독은 듣기 싫어요. 유튜브로 돈은 많이 벌고 싶어요! 그냥 운 좋게 떡상 되서 한방에 광고 수입 받았으면 좋겠다. 대충 하자. 꼼수, 편법으로 하는 방법은 없나?"

유뷰버를 100년 지속 하는 사람들 태도!

"유튜브라는 플랫폼 내 분야 삼성(진정성, 진문성, 신뢰성)을 올릴 수 있는 천재일우다. 대충대충 하고 그만두는 플랫폼이 아니라 양치질처럼 꾸준히 해야 될 플랫폼이다. 유튜브 인게점을 넘어서기까지 시행착오, 대가 지불, 인고의 시간은 당연한 것이다. 시간이 나면 해야 될 플랫폼이 아니라 시간을 빼서라도 해야 될 플랫폼이기에 꾸준히 해야겠다."

전자와 후자의 차이가 무언지 아는가? 방탄멘탈 창시자 자격 《나다운 방탄멘탈》으로 말을 하면 단언컨대 멘탈 차이라는 것이다. 다음은 현실 속 멘탈의 중요성을 깨닫게 해주는 내용이다.

왕관을 쓰려는 자 그 무게를 견뎌라?
지금 시대는 그 무게보다 더 감수해야 될 것이 있다. 리더, SNS를 하려는 사람, 유튜브를 하려는 사람, 연예인이 되려는 사람, 인기를 얻으려는 사람은 악성 댓글과 상대적 빈곤으로 인한 멘탈 붕괴를 견뎌야 한다.

어떤 일을 시작하더라도 자신이 하는 일을 잘하려면 멘탈 붕괴를 견뎌내야 한다.
SNS 시대에 그 누구도 악성 댓글에서 자유로울 수 없다. 연예인만 악성 댓글에 노출이 되어 있는 게 아니다.

리더, 일반 사람들도 SNS로 인해서 우울증이 생겨서 극단적인 선택까지 생각하는 사람들이 많아지고 있는 현실이다.

"세상이 왜 이래? SNS가 사람을 망쳤어! 이런 세상이 너무 싫어!" 이렇게 말할 상황이 아니다. 환경에 맞게 변화하고 멘탈을 업데이트해야 한다.
지금 시대는 강한 사람, 우수한 사람이 살아남은 게 아니다. 그 환경에 맞게 일반 멘탈이 아니라 방탄 리더 멘탈로 업데이트해야만 살아남을 수 있고 나다운 리더 인생, 나다운 리더 삶을 살아갈 수 있다.

어제 살아봤다고 오늘 다 아는가? 오늘은 누구나 처음이다. 100년을 살아봐도 내일은 누구나 처음이다. 100년을 살아봐도 오늘이라는 시간은 아무도 모른다. 이생망? 이번 생은 망했는가? 망했다고 생각하고 아무것도 안 하면 진짜 망한다.

리더여 살아온 날로 살아갈 날 단정 짓지 말자!
리더여 지금처럼 살 것인가 지금부터 살 것인가!
리더여 까짓것 해보자! 리더여 잘하지 않아도 괜찮아!

리더여 부족하니까 사랑스럽지!

리더여 지금 잘하고 있는 거 아시죠!

리더여 시작하면 언제나 배운다. 시작하자!

순두부 리더 멘탈에서 방탄 리더 멘탈로 업데이트하기 위한 7단계! 멘탈 시대는 끝났다. 운전도 방어운전이 중요하듯이 지금 시대는 나다운 방탄리더 멘탈이 필요하다. 방탄 리더 멘탈도 스펙이다. 학습, 연습, 훈련을 통해 익히는 것이다.

1단계 나다운 리더 순두부 멘탈

2단계 나다운 리더 실버 멘탈

3단계 나다운 리더 골드 멘탈

4단계 나다운 리더 에메랄드 멘탈

5단계 나다운 리더 다이아몬드 멘탈

6단계 나다운 리더 블루다이아몬드 멘탈

7단계 나다운 방탄 리더 멘탈

4강에서 방탄 리더 멘탈 보호막 학습, 연습, 훈련을 시작하자!

《방탄 리더 멘탈 3》

20,000명 심리 상담, 코칭을 해보면 리더 유튜버들도

순두부 멘탈, 실버 멘탈, 골드 멘탈, 에메랄드 멘탈, 다이아몬드 멘탈, 블루다이아몬드 멘탈, 방탄멘탈을 가지고 있는 유튜버들이 있다. 그 어떤 일이든 방법, 공식보다 더 중요한 것은 방법, 공식을 힘들고 어려움 속에서 끝까지 지속적으로 할 수 있는 멘탈이 중요한 것이다. 그래서 리더유튜버 코칭 할 때 강조 강조 강조 하는 것이 멘탈 학습, 연습, 훈련을 강조하는 것이다.

단언컨대 유튜버 수입이 발생하지 않아서 그만두는 것이 아니라 멘탈이 약해서 그만둔다고 말을 하는 것이다. 유튜버를 하려면 멘탈 학습, 연습, 훈련은 선택이 아니라 필수다.

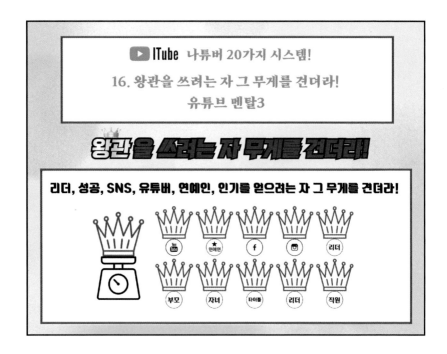

17. 악성 댓글 차단 기능 활용!

- 멘탈이 강하면 악성 댓글을 보더라도 극복이 되겠지만 멘탈이 약하면 악성 댓글에 쉽게 감정이 동요가 되어 멘탈 붕괴가 되어 유튜버 시작할 때 초심, 자신감, 각오, 다짐, 열정...등이 사라져 유튜버를 그만두는 사람들이 많다. 유튜브 트라우마가 생겨 살아가는 데 힘들어하는 사람도 있다.

악성 댓글, 부정적인 댓글을 쓰는 사람만 차단하는 기능을 활용하거나 유튜버 적응될 때까지 전체 댓글 못 달게 하는 기능을 활용하여 자신 멘탈을 지켜야 한다.

유튜브 멘탈이 생기기 전까지 사소한 피드백 말도 상처를 받는다. 스마트폰 충전 100%가 되어 있어도 사용을 하지 않으면 시간의 흐름 속에서 배터리가 소모가 되듯 멘탈도 사소한 것으로부터 멘탈 배터리가 소모가 되어 끝내는 방전(멘탈 붕괴)이 되는 것이다. 멘탈만 그런 것이 아니다. 자존감, 인간관계, 사랑... 등 사람이 하는 모든 것은 숨만 쉬어도 스마트폰 배터리가 소모 된다는 것을 명심하자.

그래서 유튜버는 멘탈 관리를 선택이 아닌 필수다. 유튜버 멘탈 관리를 유튜버 기능으로도 할 수 있고 멘탈을 셀프케어 하거나 전문가에 코칭으로 할 수도 있다. 이미지를 참고하길 바란다.

▶ 전체 댓글 차단 및 삭제하는 방법:
유튜브 로그인 → 유튜브 스튜디오 → 설정 → 업로드 설정 → 고급 설정 → 댓글 사용 안 함

▶ 악성 댓글 다는 사람 차단하는 방법:
유튜브 로그인 → 유튜브 스튜디오 → 댓글 → 게시된 댓글에서 점 3개 클릭 → 삭제, 채널에서 사용자 숨기기

댓글은 계속 차단할 수도 있지만 댓글은 구독자와의 인간관계, 만남, 인연, 소통하는 곳이다. 궁금한 것 물어보는 댓글, 피드백을 해주는 댓글에 삼성(진정성, 전문성, 신뢰성)을 느끼게 달아 준다면 그 댓글을 보는 다른 구독자들도 삼성(진정성, 전문성, 신뢰성)을 느껴 유튜브 속에 인간관계, 만남, 인연, 관계가 이루어져 자신의 채널에 단골이 되는 것이다.

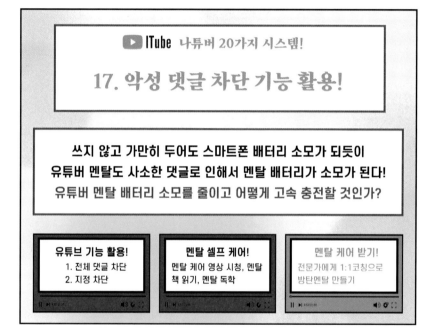

18. 유튜브 슬럼프, 유튜브 권태기 변화하지 않는 신의 법칙!

- 구독자, 조횟수, 광고 수익에 집착, 목표가 되어버리면 빨리 지친다. 구독자, 조횟수 의식을 안 할 수는 없다. 집착이 아닌 어느 정도 의식만 하면서 자신 분야 배움, 변화, 성장, 꾸준함이 동반되어야만 유튜브 슬럼프, 권태기가 오더라고 금방 지나간다.

돈, 권력, 구독자 수, 조횟수는 바닷물과 같다. 먹으면 먹을수록 갈증이 난다. 돈, 권력, 구독자 수, 조횟수에 집착이 아닌 자신, 자신분야 배움, 변화, 어제보다 0.1% 성장에 집중해야 한다.

유튜브를 떠나서 어떤 일이든 정체기는 온다. 하지만 누군가는 극복을 못해서 그만두는 계기가 되고 누군가는 평상시 꾸준히 배움, 변화, 성장, 꾸준함이 누적되어 극복한다. 다음은 누구에게나 주어진 슬럼프, 권태기 할당량 극복을 어떻게 해야 하는지 깨닫게 해주는 내용이다.

슬럼프 모기, 권태기 모기가 다가와 속삭인다.
우린 당신처럼 변화 없이
가만히 때만 기다리는 사람을 좋아해요!
그렇게 가만히 있으세요!

슬럼프, 권태기 무한리필! 사랑합니다!
슬럼프, 권태기 모기
자신이 부른다는 것을 명심하세요!

움직인다는 것은 행동을 의미합니다. 부지런하다. 긍정적이다. 꾸준하다. 변하고 있다…… 목표에 도달하는 디딤돌일 것입니다.

세상에서 가장 무서운 것은? 천재지변이 아닙니다. 내일부터 하자는 말을 하는 당신의 게으름입니다.

게으름은 모기입니다. 가만히 있으면 물리고 움직이면 물리지 않는 것처럼, 지금 시대의 모기는 슬럼프 모기! 권태기 모기! 우울함 모기! 나태함 모기! 자만심의 모기! 불만의 모기! 불평의 모기입니다.

이 모기들은 우리에게 다가와 항상 이렇게 속삭입니다. 우린 당신처럼 하던 것만 하고 변화 없이 잘 되려고 하는 사람을 가장 좋아해요! 숨을 거두는 날까지 함께해요! 사랑해요! 이 모기들은 우리가 어떤 일을 어느 수준까지 하고 난 뒤 이 정도면 됐다며 적응되고 요령이 생겨 익숙해지려 할 때 인정사정없이 달려듭니다.

제가 지금 일만 하라고 말하는 것이 아닙니다. 자신이 하는 일에서 어떻게 하면 대체 불가능한 사람이 되기 위해 전문성을 키울 것인가를 고민하며, 자자자자멘습궁을 통해 빠르게 변화하는 현실에서 어떻게 하면 돌파구를 찾고 성장할 것인가를 고민하고 공부해야 합니다. 지금 하는 일이 "힘들다. 어렵다." 말은 하면서 변화 없이 똑같은 방법만 고집하고 새로운 기회가 오기만을 기다리는 사람들을 그 모기들이 좋아합니다. 어렵고 힘들수록 때를 기다리는 사람이 아닌 때를 만들어 가기 위한 행동이 있어야 하며, 혼자서 하기 어렵다면 전문가를 통해서라도 찾고 배워야 합니다.

살면서 그 모기들을 안 오게 할 수는 없습니다. 하지만 자기 몸에 앉게는 하지 말아야 합니다. 모기퇴치 홈키파를 소개 해드립니다. 세일 중이니 매진되기 전에 준비하세요. 삶의 모기는 사계절 다 있습니다. 책 홈키파! 자기관리 홈키파! 유튜브 자기계발 영상 홈키파! 교육프로그램 홈키파! 그중에서도 가장 강추하는 홈키파는 필자가 운영하는 유튜브 〈방탄자기계발〉 채널입니다!

게으름은 모기다!
가만히 있으면 물리고 움직이면 물리지 않는다.
지금 시대의 모기?
슬럼프 모기! 권태기 모기! 우울함 모기!
나태함 모기! 자만심 모기! 불평불만 모기!
《나다운 방탄멘탈》

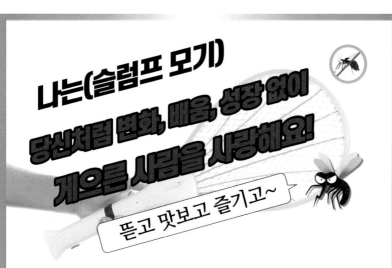

나는(슬럼프 모기)

당신처럼 변화, 배움, 성장 없이
게으른 사람을 사랑해요!

뜯고 맛보고 즐기고~

게으름 모기 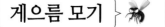		나태함 모기	
내일해 모기		슬럼프 모기	
다알아 모기 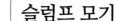		불만의 모기	
시간 없어서 모기 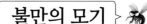		누구 때문에 모기 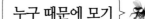	

모기를 부르는 것도 자신이고 박멸시킬 수 있는 최고의 홈키파도 자신에게 있다. 자신의 게으름을 먹고 사는 모기는 한번 잡는다고 사라지는 게 아니다.
이 정도면 됐다! 하는 순간 다시 뜯고 맛보고 즐기려 온다는 것을 명심하세요!

19. 자신 분야 최소의 비용으로 최고의 효과 유튜브 플랫폼

- 돈을 들여 홍보하는 것은 한계가 있다. 잘 된다면 계속할 수 있지만 그렇게 되지 않는다. 마케팅, 홍보라는 게 배보다 배꼽이 더 큰 경우가 되어 버리는 경향이 많다. 유튜브를 꾸준히만 한다면 채널 자체가 홍보 플랫폼이 되어 준다. 최소의 비용으로 최대의 효과를 볼 수 있는 플랫폼이 유튜브다.

장비는 조금씩 준비를 하면 욕심을 내지 않는 한 어느 시점(1년 차~2년 차)에서는 더 이상 돈은 들어가지 않는다. 자신의 꾸준함, 노력만 있으면 유튜브 알고리즘이 홍보를 100년 동안 꾸준히 해준다. 유튜브에 영상을 업로드 해놓으면 채널을 삭제를 하지 않는 한 홍보가 계속 된다는 것이다.

업로드한 영상들이 누적되어 100년 동안 홍보 플랫폼이 되어준다. 유료 홍보보다는 빠른 시간에 홍보가 되지는 않지만 장기적으로 봤을 때는 유리하다. 자신 분야 콘텐츠가 좋아서 한 번에 떡상해서 홍보가 될 수도 있지만 요행을 바라면 안 된다. 떡상이 되었더라도 사람이 하는 모든 것은 꾸준함이 전제가 되어야 한다. 꾸준함은 인생의 이치다. 유튜브는 1년만 하고 끝내는 플랫폼이 아니라 100년을 지속해야 하는 플랫폼이다.

유튜브 자체에 영상 홍보를 할 수 있는 유료 시스템을 활용할 수도 있다. 4차 산업 시대, 디지털 시대에 리더 유튜버의 기본인 3가지 스펙(자신 분야 영상 촬영 편집 스펙, 홍보디자인 제작 스펙, 온라인, 디지털 콘텐츠 제작 스펙)을 마스터 해야만 수준 높은 영상미, 디자인이 나와 홍보 효과가 극대화된다.

유튜브로 자신, 자신 분야 최소의 비용으로 최대의 효과를 보려면 리더의 기본인 3가지 스펙을 마스터해야 한다는 것을 명심하자!

19. 자신 분야 최소의 비용으로 최고의 효과 유튜브 플랫폼

리더 유튜브의 기본인 3가지 스펙(자신 분야 영상 촬영 편집 스펙, 홍보디자인 제작 스펙, 온라인, 디지털 콘텐츠 제작 스펙)이 있어야 최소의 비용으로 최대 효과를 볼 수 있다.

4차 산업 시대에 리더에게 필요한 필수 스펙 3가지!

리더 자신 분야 전문성 향상 마스터키!

자신 분야
영상 촬영, 편집 기술 스펙

자신 분야
홍보디자인 제작 기술 스펙

자신 분야
온라인, 디지털 콘텐츠
제작 기술 스펙

20. 유튜브는 내 인생의 천재일우

- 필자에게는 유튜브는 천재일우(천 년에 한 번 만난다는 뜻으로 좀처럼 만나기 어려운 기회를 이르는 말)플랫폼이다. 왜 천재일우 플랫폼인지 간단히 설명하겠다.

유튜브를 하면서 책 2,000권 독서, 독서한 내용으로 자자자자멘습긍(자존감, 자신감, 자기관리, 자기계발, 멘탈, 습관, 긍정)학습, 변화, 성장콘텐츠 영상 업로드를 해서 책 100권 출간, 불특정 다수와의 연결되어 코칭(CEO, 전 국회의원, 박사, 고위직 임원… 등), 사업제의, 블로그 8년 한 것보다 유튜브 5년 한 것이 홍보와 수익이 10배 상승 했다.

코로나19 상황에서 비수기를 극복할 수 있는 시스템을 만듦, 은퇴와 노후에도 꾸준히 움직이지 않아도 수입이 발생할 수 있는 시스템 만듦, 내 분야 삼성(진정성, 전문성, 신뢰성)이 검증 되어 가치, 몸값, 강사료가 상승했다.

유튜브가 누군가에게는 시간 때우는, 시간을 낭비하는 도구가 되었다. 유튜브가 누군가에게는 상대적 비교로 인해 불만이 생겨 자신 멘탈, 자존감을 방전시키는 걸림돌이 되었다. 유튜브가 누군가에게는 돈, 스펙, 인맥… 등 아무것도 없는 상황에서 성공할 수 있는 디딤돌이 되었다. 유튜브가 누군가에게는 자신, 자신 분야 삼성(진정성, 전문성, 신뢰성)을 높여 제2수입, 제3수입을 발생시켜 은퇴, 노후까지 준비시켜주는 디딤돌이 되었다.

리더여, 유튜브를 어떻게 활용하고 있는가?

지금 5G 시대다. 5G 시대라면 자신 분야도 5G 속도로 변하기 때문에 자신 분야 변화를 5G 속도로 해야 한다. 그런데 20,000명 심리 상담, 코칭 하면서 알게 된 것은 90% 사람들이 2G 속도로 변하려고 하고 배우려고 한다. 느리게 하는 것이 무조건 나쁜 것은 아니다. 이런 말도 있지 않은가 "늦더라도 멈추지만 말라" 하지만 지금 5G 시대에, AI 시대에, 디지털 시대에, 메타버스 시대에, 챗GPT 시대...에는 "늦더라도 멈추지는 마라." 이 말이 위안, 위로, 격려가 된다면 인생을 잘못 살고 있는 것이다. 리더 자신이 못 살고 있다는 것은 가족, 팀원, 조직체원들까지 못 사는 인생으로 가는 것은 자명하다.

5G 시대에 맞게 5G 속도로 변화하지는 못하더라도 3G, 4G 속도로 변화해야 하는데 리더라는 사람들이 일반 사람들처럼 2G 속도로 자신 분야를 변화하니 인생이 점점 더 힘들어지는 건 자명하다. 어떻게 속도를 올려야 할지 모르겠는가? 세상에서 가장 쉬운 방법은 페이스메이커를 만나는 것이다.

리더들의 답답한 마음을 알기에 필자에게 코칭을 받는 사람들은 150년 A/S, 관리, 피드백을 해주는 것이다. 자신 분야 시스템을 만들 수 없다면 만들어져 있는 <www.방탄자기계발사관학교.com> 시스템 안으로 들어가면 된다.

5G 시대 ~ 앞으로 10G 시대에 맞춰 리더 자신과 리더 자신 분야 변화, 배움, 성장, 제2수입, 제3수입, 은퇴, 노후 준비까지 할 수 있는 시스템 설명인 《리더는 유튜브가 아닌 나튜브 2》, 《리더는 유튜브가 아닌 나튜브 3》로 갱생하자. #. 갱생 (更生): 마음이나 생활 태도를 바로잡아 본디의 옳은 생활로 되돌아가거나 발전된 생활로 나아감.

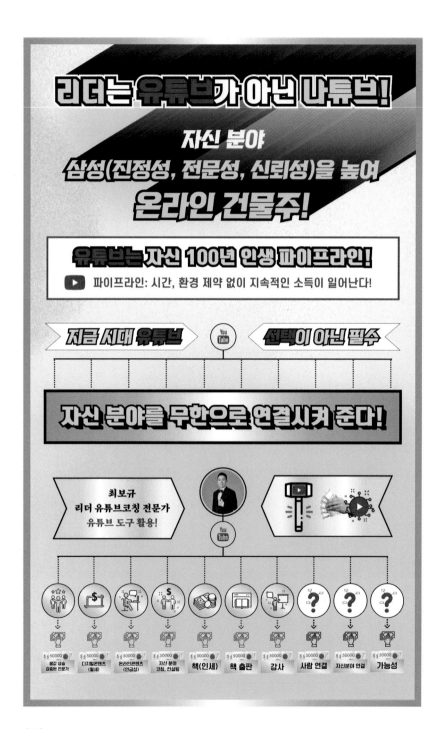

리더는 유튜브가 아닌 나튜브!

자신 분야
삼성(진정성, 전문성, 신뢰성)을 높여
온라인 건물주!

유튜브는 자신 100년 인생 파이프라인!

▶ 파이프라인: 시간, 환경 제약 없이 지속적인 소득이 일어난다!

지금 시대 유튜브   You Tube   선택이 아닌 필수

자신 분야를 무한으로 연결시켜 준다!

최보규
리더 유튜브코칭 전문가
유튜브 도구 활용!

You Tube

| 몸값 상승 감동인 전문가 | 디지털콘텐츠 (월세) | 온라인콘텐츠 (연금성) | 자신 분야 코칭, 컨설팅 | 책(인세) | 책 출판 | 강사 | 사람 연결 | 자신분야 연결 | 가능성 |

242

유밥 1:1 코칭

✔ 일시, 시간

▶ 수시 모집 (상담)

▶ 13:00 ~ 18:00 (기본 5시간)

시간 조정 가능!(10H, 15H, 20H)

✔ 내용

1. 유튜브 시작 준비! (채널 100년 목표, 방향, 자신 분야 연결)
2. 영상 촬영 방향! (영상 콘셉트, 기획)
3. 촬영 기법! (기본 장비, 촬영 도구, 카메라)
4. 영상 업로드! (편집프로그램, 영상 편집 기본 세팅)
5. 유튜버 인성, 매너, 멘탈, 홍보전략 (유튜버 태도)

   자신 분야 연결 제2수입, 제3수입 창출 자동 시스템 기획, 제작

✔ 자기계발 비용, 인원

▶ 비용 상담

▶ 1:1 맞춤 코칭(온, 오프라인)

✔ 장소, 상담

▶ 장소 상담 후 상황에 따라 변동 사항

▶ 한 번의 상담이 인생 터닝포인트

150년 A/S, 관리, 피드백

최보규 원장 010-6578-8295

방탄유튜버 사관학교
시스템 사용설명서

시스템 소개

자신 분야 최고의 수익 플랫폼 업데이트!

최소의 비용으로 최고의 효과를 낼 수 있는 자신 분야 홍보 플랫폼(불특정 다수와 연결이 되어 시너지 효과)입니다. 유튜브를 활용해 앞으로 포스트 코로나 상황들이 벌어졌을 때, 아무것도 할 수 없는 상황이 왔을 때, 빠르게 변하는 시대에 맞춰 자신 분야 삼성(진정성, 전문성, 신뢰성)을 향상시키기 위한 시스템 교육, 코칭!

01 교육.강의.코칭 목적 및 기대효과

 무한한 가능성이 있는(강의, 책 출판, 광고문의, 사업 파트너, 마음이 맞는 사람들과의 연결을 통한 제휴, 자기계발 기회, 콘텐츠를 통한 수많은 기회 연결 가능) 유튜브 장단점을 학습, 연습, 훈련을 통해 100명 시작하면 99명 그만두는 유튜버 환경 속에서 나튜버가 되어 오래 지속 하며 자신 분야 삼성(진정성, 전문성, 신뢰성)을 향상시켜 수익 창출을 할 수 있는 연결고리를 만들 수 있는 기대효과.

자신 분야 노하우를 일부 오픈하는(함께 잘 먹고 잘 살자) 학습, 연습, 훈련을 통해 사람들 변화, 성장, 배움을 줄 수 있는 기대효과.

---

 02 교육.강의.코칭 항목

1단계: 유튜브 시작 준비! (채널 100년 목표, 방향, 자신 분야 연결)
2단계: 영상 촬영 방향! (영상 콘셉트, 기획)
3단계: 촬영 기법! (기본 장비, 촬영 도구, 카메라)
4단계: 영상 업로드! (편집 프로그램, 영상 편집 기본 세팅)
5단계: 유튜버 인성, 매너, 멘탈, 홍보전략 (유튜버 태도)
　　　　자신 분야 연결 제2수입, 제3수입 창출 자동 시스템 기획, 제작

03 방탄유튜버사관학교 신청 대상 세부 내용

방탄유튜버사관학교

- ▶ 자기계발을 시작하고 싶은 분.
- ▶ 유튜버가 아닌 나튜버를 통해 자신 분야 변화, 성장하고 싶은 분
- ▶ 자신 분야 와 연결시켜 수입을 극대화하고 싶은 분
- ▶ 1,2,3,4,5단계를 배워 자신 분야 삼성(진정성, 전문성, 신뢰성)을 업데이트해서 자신 분야 가치, 몸 값어치를 올리고 싶은 분
- ▶ 방탄자기계발사관학교 지회장이 되어 9가지 사관학교를 운영, 대한민국 노벨상인 최보규상 임원진이 되고 싶은 분

 04 교육. 강의. 코칭 항목

◀)) 교육 시간은 변동사항 있을 수 있습니다!

구분	주제	강의내용	시간
방탄유튜브 사관학교	1단계	유튜브 시작 준비! (채널 100년 목표, 방향, 자신 분야 연결)	1H ~ 10H
	2단계	영상 촬영 방향! (영상 콘셉트, 기획)	1H ~ 10H
	3단계	촬영 기법! (기본 장비, 촬영 도구, 카메라)	1H ~ 10H
	4단계	영상 업로드! (편집 프로그램, 영상 편집 기본 세팅)	1H ~ 10H
	5단계	유튜버 인성, 매너, 멘탈, 홍보전략 (유튜버 태도) 자신 분야 연결 제2수입, 제3수입 창출 자동 시스템 기획, 제작	1H ~ 10H

방탄유튜버 사관학교

방탄유튜버 자격증

"국가등록 민간자격"

★ 자격증명: 자기계발코칭전문가

★ 등록번호: 2021-005595

★ 주무부처: 교육부

★ 자격증 종류: 모바일 자격증

※ 등록하지 않은 민간자격을 운영하거나 민간자격증을 발급할 때에는 [자격기본법]에 의해 3년 이하의 징역 또는 3천만 원 이하의 벌금에 처해진다.

"국가등록 민간자격증"

★ 자격증명: 자기계발코칭전문가

★ 등록번호: 2021-005595

★ 주무부처: 교육부

★ 자격증 종류: 모바일 자격증

※ 등록하지 않은 민간자격을 운영하거나 민간자격증을 발급할 때에는
[자격기본법]에 의해 3년 이하의 징역 또는 3천만 원 이하의 벌금에 처해진다.

평균 희망 은퇴 73세, 현실 은퇴 나이 49세!
100세 시대 언제까지 몸(노동)으로만
일해서 돈을 벌 것인가?

세상, 현실 기준에서 스펙, 돈, 인맥, 자산 등이
없어서 100세까지 노동을 해야 되고 몸까지 아
프면 더 답이 없는 상황! 젊을 때는 100가지 중
99가지를 할 수 있지만 나이 들면 100가지 중
99가지를 할 수 없다. 3고 시대, AI 시대, 챗
GPT 시대에 자신의 직업이 사라 질 수 있는 상황
에서 어떻게 준비, 대비할 것인가?

 방탄BOOK기술력
선택이 아닌 필수!

| Google 자기계발아마존 | ▶YouTube 방탄자기계발 | NAVER 방탄BOOK | NAVER 최보규 |

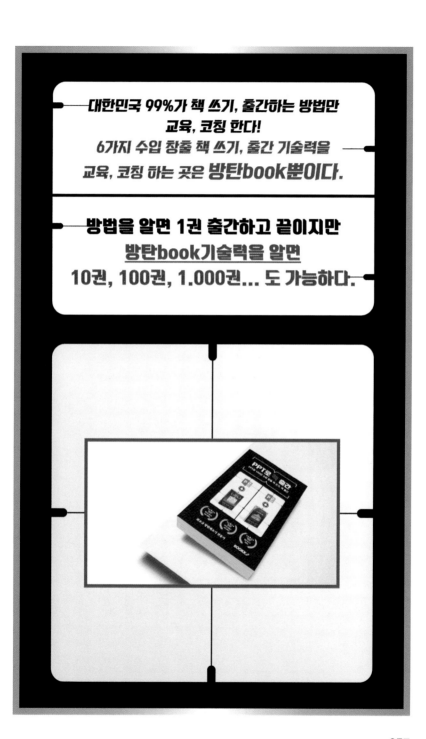

대한민국 99%가 책 쓰기, 출간하는 방법만 교육, 코칭 한다!
6가지 수입 창출 책 쓰기, 출간 기술력을 교육, 코칭 하는 곳은 **방탄book**뿐이다.

방법을 알면 1권 출간하고 끝이지만
방탄book기술력을 알면
10권, 100권, 1.000권... 도 가능하다.

4. 포트폴리오 커리어 리더는 왜! 오프라인, 온라인, 디지털 콘텐츠 자기계발을 해야 하는가?

10년 후에 올 비대면 시대가 앞당겨져 버린 현실 리더 자신 전문 분야를 온라인 콘텐츠, 디지털 콘텐츠로 만들어 비수기 없이 움직이지 않아도 수입이 발생하는 시스템을 만들 수 있다. 디지털 콘텐츠 영상 한번 제작으로 자신 분야 150년 지속적인 홍보, 월세, 연금성 수입 발생!

전문가들이 10년 후에 비대면 시대가 올 것이라고 예측을 했는데 코로나로 인해서 10년이 당겨졌다고 한다.

한마디로 우리는 2024년이 아니라 2034년을 살고 있다는 것이다. 10년이 당겨진 상황에서 20,000명 심리 상담, 코칭 하면서 알게 된 것은 두부류에 리더들이 나온다는 것이다. 시간, 상황은 같지만 받아들이는 태도, 행동이 다르다.

일반 리더십!
"세상, 현실이 점점 더 힘들어지고 있다. 4차 산업 시대, AI시대, 비대면 시대, 메타버스 시대...앞으로 예측하기도 힘든 시대에 어떻게 살아가야 되는지 막막하네."

20년 전이 좋았지. 노력만 하면 되는 시대, 경력만 많으면 인정해주는 시대, 한 가지 전문 분야만 있으면 걱정 없던 시대...등 "못해 먹겠네! 될 때로 돼라. 나도 모르겠다. 어떻게 되겠지. 하루하루 상황 맞춰서 하던 방법으로 하자. 산 입에 거미줄 치겠어? 시간이 해결해 주겠지."

방탄 리더십!

"세상, 현실이 점점 더 힘들어지고 있어. 4차 산업 시대, AI시대, 비대면 시대, 메타버스 시대, 챗GPT 시대... 등 앞으로 예측하기 힘든 시대에 어떻게 살아가야 하는지 막막하네."

전과 완전 다른 상황이 벌어졌고 앞으로 더 힘든 상황이 올거다. 하던 방법으로 했다가는 진짜 큰일 나겠다. 내 분야, 나를 따르는 조직체 원들, 조직체 원들 가족까지 힘들어지겠다. 정신 차리지 않으면 다 죽겠다. "어떻게 하면 할 수 있을까? 좋아지기만을 기다렸다가는 답이 안 나오는 시대다. 회사, 조직체 원들을 위해서라도 내가 더 앞장서서 변화하기 위해 더 뛰고 배워야겠다. 온라인, 디지털콘텐츠 배운적 없지만 더 늦기 전에 배워서 비대면 시대 극복해야겠다."

일반 리더십과 방탄 리더십 차이점이 보이는가? 왜 이런 차이가 날까? 세부적으로 따지면 너무 많기에 단순하게 말을 하면 방탄 리더십의 기둥인 리더 자존감, 리더 멘탈, 리더 습관, 리더 행복, 리더 자기계발이 학습, 연습, 훈련이 되어 있느냐, 안 되어 있느냐 차이다. 그래서 앞으로 4차 산업 시대, 비대면 시대, 디지털 시대에 리더 자신 분야 살아남기 위한 필수 스펙인 3가지(영상 촬영, 편집 기술 스펙, 홍보디자인 제작 기술 스펙, 온라인, 디지털 콘텐츠 제작 기술 스펙)를 강조하는 것이다.

★ 리더 자신 분야 온라인, 디지털 콘텐츠 제작으로 제 2, 제3 수입 올려 월세, 연금성 수입 발생하는 온라인 건물주 되자!

리더 자신 전문 분야를 커리큘럼으로 만들어서 강의, 교육, 컨설팅, 코칭을 할 수 있다. 리더 자신 분야를 디자인해서 커리큘럼을 만들면 온, 오프라인 강의, 교육, 컨설팅, 코칭을 할 수 있고 커리큘럼으로 전문가로 검증받을 수 있는 전문 책을 출간할 수 있다.

책을 출간하면 목차별로 디지털콘텐츠 영상을 만들어 대표적인 디지털 플랫폼인 크몽, 탈잉, 클래스101, 클래스유, 인클등 월세, 연금성 수입이 발생되는 온라인 건물주가 될 수 있다. 온라인 콘텐츠, 디지털 콘텐츠를 제작하여 수입, 전문성을 극대화 시키는 순서를 알려 주겠다.

1. 리더 전문 분야 5시간~8시간 강의, 교육, 코칭, 컨설팅을 할 수 있는 커리큘럼을 만든다.
2. 전문 분야 커리큘럼으로 책을 출간한다.
3. 출간한 책으로 디지털콘텐츠 영상을 제작한다.
4. 디지털콘텐츠 영상을 디지털플랫폼에 입점을 시킨다.
(디지털플랫폼: 크몽, 탈잉, 클래스101, 클래스유, 인클등)

5. 무인시스템이 가능한 홈페이지를 만들어 온라인 건물주가 된다.

한 분야 리더라면 자신 분야는 전문가이다. 전문 분야를 온라인 콘텐츠, 디지털 콘텐츠로 극대화를 시킬 수 있다. 필자의 전문 분야를 온라인 콘텐츠, 디지털 콘텐츠로 만들어서 활용하고 있는 것을 벤치마킹하기를 바란다.

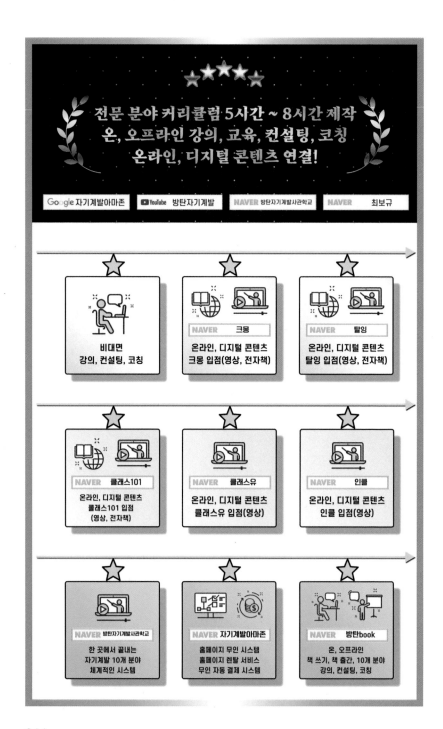

온라인 플렛폼 디지털 플렛폼	온라인, 디지털 콘텐츠 수입 발생 (무인 시스템)	100년 월세, 연금 발생
자기계발아마존 1층 ~ 3층	온라인 건물주 되는 자격증 교육! 온라인 강사코칭전문가2급 온라인 자기계발코칭전문가2급 / 리더십코칭전문가2급 자존감, 멘탈, 습관, 행복, 사랑, 웃음, 강사, 책쓰기, 유튜버, 리더십 10개 분야 코칭 / 영상 / 전자책	자격증, 재교육, 강사섭외 코칭, 종이책 전자책 수입 발생
클래스유 4층	자신 분야 삼성(진정성, 전문성, 신뢰성)을 높여 제2수입, 3수입 올리는 방탄자기계발 재테크 / 영상	영상, 자격증, 강사섭외, 코칭 종이책, 전자책 수입 발생
클래스101 5층 ~ 15층	강사 분야, 사랑 분야, 습관 분야, 자존감 분야 행복 분야, 자기계발 분야 영상 원포인트 클래스 / 전자책	영상, 강사섭외, 코칭 종이책, 전자책 수입 발생
크몽 16층 ~ 22층	강사 분야, 사랑 분야, 습관 분야 자존감 분야, 행복 분야, 자기계발 분야 영상 / 코칭 / 전자책	영상, 자격증, 강사섭외, 코칭 종이책, 전자책 수입 발생
탈잉 23층 ~ 25층	자존감 분야, 습관 분야, 행복 분야 영상 / 전자책	강사섭외, 코칭 종이책, 전자책 수입 발생
인클 26층	4차 산업시대는 4차 자기계발인 방탄자기계발 재테크 / 영상	영상, 자격증, 강사섭외, 코칭 종이책, 전자책 수입 발생
온라인 서점 디지털 서점 27층 ~ 50층	출간 한 31권 자기계발서 종이책 , 전자책	검증된 전문가 강사료 10배 상승

최보규 방탄리더십 전문가

방탄자기계발 온, 오프라인 커리큘럼

(진정성, 전문성, 신뢰성)   www.방탄자기계발사관학교.com

방탄자존감 자기계발

클래스 1단계	자존감 종합검진
클래스 2단계	방탄자존감 1단계 (자존감 원리 이해)
클래스 3단계	방탄자존감 2단계 (후시딘 자존감)
클래스 4단계	방탄자존감 3단계 (마데카솔 자존감)
클래스 5단계	방탄자존감 실천 동기부여

방탄행복 자기계발

클래스 1단계	행복 초등학생, 행복 중학생, 행복 고등학생 001강 ~ 030강
클래스 2단계	행복 전문학사 = 031강 ~ 050강 행복 학사 = 051강 ~ 080강
클래스 3단계	행복 석사 = 081강 ~ 100강
클래스 4단계	행복 박사 = 101강 ~ 120강
클래스 5단계	행복 히어로 = 120강 ~ 135강

방탄멘탈 자기계발

클래스 1단계	순두부 멘탈 step 01 ~ step 10 실버 멘탈 step 11 ~ step 20
클래스 2단계	골드 멘탈 step 21 ~ step 30 에메랄드 멘탈 step 31 ~ step 40
클래스 3단계	다이아몬드 멘탈 step 41 ~ step 50
클래스 4단계	블루다이아몬드 멘탈 step 51 ~ step 70
클래스 5단계	나다운 방탄멘탈 step 71 ~ step 115

방탄습관 자기계발

클래스 1단계	나다운 방탄습관블록 공식
클래스 2단계	몸 습관 블록 쌓기
클래스 3단계	머리 습관 블록 쌓기
클래스 4단계	마음(방탄멘탈)습관 블록 쌓기
클래스 5단계	자신 습관 종합검진 습관 처방전과 실천 동기부여

최보규 방탄리더십 전문가

방탄자기계발 온, 오프라인 커리큘럼

(진정성, 전문성, 신뢰성) www.방탄자기계발사관학교.com

방탄사랑 자기계발

클래스 1단계	결혼은 한명이 아닌 세명과 한다. 사랑 본질 학습, 연습, 훈련
클래스 2단계	부부 방탄멘탈 업그레이드 1
클래스 3단계	부부 방탄멘탈 업그레이드 2
클래스 4단계	부부행복 (부부서로 행복히어로 되어주기)
클래스 5단계	부부 13계명 학습, 연습, 훈련 1 부부 13계명 학습, 연습, 훈련 2 (화해의 기술)

방탄웃음 자기계발

클래스 1단계	방탄웃음 원리 이해 (학습, 연습, 훈련)
클래스 2단계	방탄웃음 스팟 기법 (학습, 연습, 훈련)
클래스 3단계	방탄웃음 실전 기법 (학습, 연습, 훈련)
클래스 4단계	방탄웃음 습관 사용설명서 (학습, 연습, 훈련)
클래스 5단계	방탄웃음 실전 강의 청강 (강사료 100만 원 실전 강의)

방탄강사 자기계발

클래스 1단계	강의 시작 집중기법, SPOT 기법 아이스브레이킹 기법, SPOT+메시지기법
클래스 2단계	스토리텔링 기법
클래스 3단계	엑티비티 팀빌딩 기법 (팀 워크, 조직활성화)
클래스 4단계	강사 인성, 매너, 개념, 멘탈 교육 강사 연차 별 준비, 변화 방법! 강사료 올리는 방법!
클래스 5단계	3D.4D 강의 기법. 담당자, 청중, 학습자가 원하는 강의기법

방탄책쓰기 자기계발

클래스 1단계	책 쓰기, 책 출간 의미 부여, 목표, 방향 설정 (5가지 책 출판 장단점)
클래스 2단계	7G (원고, 투고, 퇴고, 탈고, 투고, 강의, 강사)
클래스 3단계	온라인 콘텐츠 연결 기획, 제작
클래스 4단계	디지털 콘텐츠 연결 기획, 제작
클래스 5단계	자신 분야 연결 제2수입, 제3수입 발생 무인 시스템 기획, 제작

방탄유튜버 자기계발

클래스 1단계	유튜브 시작 준비! (채널 100년 목표, 방향, 자신 분야 연결)
클래스 2단계	영상 촬영 방향! (영상 콘셉트, 기획)
클래스 3단계	촬영 기법! (기본 장비, 촬영 도구, 카메라)
클래스 4단계	영상 업로드! (편집프로그램, 영상 편집 기본 세팅)
클래스 5단계	유튜버 인성, 매너, 멘탈, 홍보전략 (유튜버 태도) 자신 분야 연결 제2수입, 제3수입 발생 무인 시스템 기획, 제작

268

방탄리더십 자기계발

클래스 1단계	리더십의 반대는 꼰대십 리더십의 부모는 은퇴십
클래스 2단계	나다운 리더 자존감 원리, 학습, 연습, 훈련
클래스 3단계	리더 멘탈 보호막 원리, 학습, 연습, 훈련
클래스 4단계	리더 습관 보호막 원리, 학습, 연습, 훈련
클래스 5단계	리더 행복 보호막 원리, 학습, 연습, 훈련
클래스 6단계	리더 자기계발 원리, 학습, 연습, 훈련
클래스 7단계	코칭전문가 10계명 (품위유지의무)

★★★★★

삼성(진정성, 전문성, 신뢰성)이
검증된 전문가

| Google 자기계발아마존 | ▶YouTube 방탄자기계발 | NAVER 방탄자기계발사관학교 | NAVER 최보규 |

7G 직업
(출판사 대표, 작가, 심리 상담사, 코칭 전문가, 강사, 유튜버, 한집의 가장)

20,000명 심리 상담, 코칭 하면서 알게 된 것은
사람들 99%가 주치의처럼 늘 옆에서 걱정, 고민을
털어놓고 삶, 인생, 자신 분야, 자자자자멘습긍
(자존감, 자신감, 자기관리, 자기계발, 멘탈, 습관, 긍정)
피드백 받을 수 있는 주치의 같은 전문가를 바란다.

세계 최초
방탄자기계발 주치의

 방탄자기계발 전문가
최보규 대표

www.방탄자기계발사관학교.com

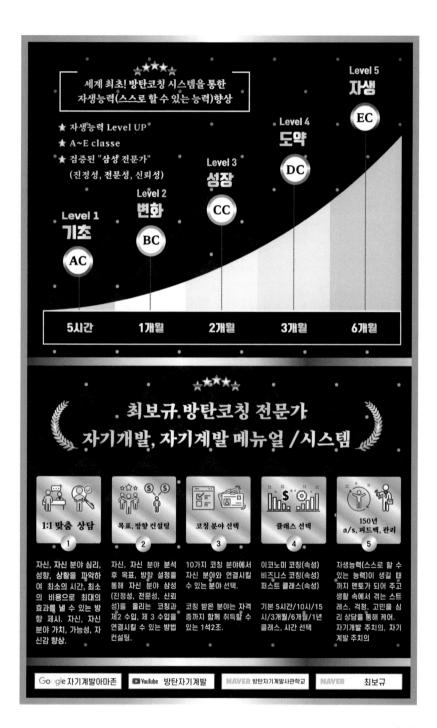

세계 최초! 방탄코칭 시스템을 통한
자생능력(스스로 할 수 있는 능력)향상

★ 자생능력 Level UP
★ A~E classe
★ 검증된 "삼성 전문가"
(진정성, 전문성, 신뢰성)

Level 1
기초
AC
5시간

Level 2
변화
BC
1개월

Level 3
성장
CC
2개월

Level 4
도약
DC
3개월

Level 5
자생
EC
6개월

최보규 방탄코칭 전문가
자기개발, 자기계발 메뉴얼 /시스템

1:1 맞춤 상담 ①

자신, 자신 분야 심리, 성향, 상황을 파악하여 최소의 시간, 최소의 비용으로 최대의 효과를 낼 수 있는 방향 제시. 자신, 자신 분야 가치, 가능성, 자신감 향상.

목표, 방향 컨설팅 ②

자신, 자신 분야 분석 후 목표, 방향 설정을 통해 자신 분야 삼성 (진정성, 전문성, 신뢰성)을 올리는 코칭과 제2 수입, 제 3 수입을 연결시킬 수 있는 방법 컨설팅.

코칭 분야 선택 ③

10가지 코칭 분야에서 자신 분야와 연결시킬 수 있는 분야 선택.

코칭 받은 분야는 자격증까지 함께 취득할 수 있는 1석2조.

클래스 선택 ④

이코노미 코칭(속성)
비즈니스 코칭(속성)
퍼스트 클래스(속성)

기본 5시간/10시/15시/3개월/6개월/1년 클래스, 시간 선택

150년 a/s, 피드백, 관리 ⑤

자생능력(스스로 할 수 있는 능력)이 생길 때까지 멘토가 되어 주고 생활 속에서 겪는 스트레스, 걱정, 고민을 심리 상담을 통해 케어. 자기개발 주치의, 자기계발 주치의

★ ★ ★ ★ ★

검증된 전문가 교육시스템

회원제를 통한 맞춤 학습, 연습, 훈련
오프라인 전문상담사가 검진 후 특별맞춤 학습, 연습, 훈련

검증된 강사코칭 전문가

세계 최초 강사 백과사전
강차 사용설명서를 만든 전문가!
<u>150년 A/S, 관리,해주는 책임감!</u>

검증된 책 쓰기 전문가 100권

행복히어로
나다운 강사 1, 2
나다운 방탄멘탈
나다운 방탄습관블록
나다운 방탄 카피 사전
나다운 방탄자존감 명언 I , II
방탄자기계발 사관학교
자계계발코칭전문가 1,2,3,4,5,6
나다운 방탄리더십 1,2,3,4,5
외 100권

검증된 자기계발 전문가

방탄행복 참시자!
방탄멘탈 참시자!
방탄습관 참시자!
방탄자존감 참시자!
방탄자기계발 참시자!
방탄강사 참시자!
방탄리더십 참시자!

검증된 상담 전문가

20,000명 힐리 상담, 코칭 !
독학하기 힘든 자자자멘습금
(자존감, 자신감, 자기관리, 자기계
발, 멘탈, 습관, 긍정)
1:1 케어까지 해주며 행복 주치의가
되어주는 전문가!

★ ★ ★ ★ ★
강력추천

이런 사람들 반드시 상담, 코칭 받으세요!

현재 상황에 가장 필요한 것을 상담 후 가장 효율적인 시스템을 적용합니다.

**변화, 성장, 배움, 행동
동기부여, 셀프케어**

1

지금처럼이 아니라 지금부
터 다시 시작하고 때를 기
다리는 사람이 아닌 때를
만들고 싶은 분

자신분야 전문성
(진정성, 전문성, 신뢰성)

2

경력은 스펙이 아니다! 자
신 분야 차별화로 부케릭
터(부업)만들어 자신 몸
값을 올리고 싶은 분

**자신분야 자동
시스템(돈) 연결**

3

움직이지 않아도 자동으로
돌아가는 돈 버는 시스템
을 만들고 싶은 분

Best 12

검증된 리더 강의 분야

<저자 최보규>　　　　<저자 최보규>

1 방탄 리더 동기부여

사람을 움직이는 가장 강력한 동기부여는 "우리 리더는 내가 좋은 사람이 되고 싶도록 만들어"라는 마음을 들게 하여 행동하게 만드는 리더다!

2 나다운 방탄리더십

1명의 방탄리더가 10만 명을 변화시키고 먹여 살린다. 리더는 사라져도 방탄리더십은 1,000년 간다! 리더의 삼성(진정성, 전문성, 신뢰성)을 업그레이드!

Best 12

검증된 리더 강의 분야

<저자 최보규>

<저자 최보규>

3 방탄 리더 의무교육

직원은 5대 법정의무교육이 필수! 리더는 7대 의무교육이 필수! 5대 법정의무교육을 받지 않으면 벌금이지만 리더가 7대 의무교육을 받지 않으면 회사가 망한다!

4 방탄 리더 기본기

기본기를 지킨다고 리더가 되는 건 아니다. 단언컨대 사람들에게 존경받고 위대한 업적을 만드는 리더들은 기본기를 철저하게 지킨다.

Best 12

검증된 리더 강의 분야

BEST Seller

<저자 최보규>

<저자 최보규>

5 방탄 리더 태도

세상에서 가장 강력한 태도 스펙! 어떻게 학습, 연습, 훈련할 것인가?
Body(몸)태도, Head(머리)태도, Mind(마음)태도 320가지 학습, 연습, 훈련하는 방법 최초 공개!

6 방탄 리더 인재 양성

리더의 기본 스펙은 인재 양성이다. 인재는 오는 게 아니라 시스템으로 만들어지는 것이다. 리더가 인재 양성 매뉴얼, 시스템 구축은 선택이 아닌 필수다.

검증된 리더 강의 분야

<저자 최보규>

<저자 최보규>

7 방탄 리더 사명감

8 방탄 리더 식스펙

사명감은 스펙이다! 학습, 연습, 훈련으로 만들어 진다! 세상에 사명감 없는 사람은 없다! 다만 사명감 만드는 방법을 모를 뿐이다!

숨만 쉬어도 근손실이 되듯 숨만 쉬어도 리손실(리더십 손실)이 되기에 앞서가는 리더는 리더십 PT 받는다! 식스펙은 한달 지속 되지만 리더십 식스펙은 100년 지속 된다.

Best 12

검증된 리더 강의 분야

<저자 최보규>

<저자 최보규>

9 방탄 리더 감정컨트롤

10 방탄 리더 스피치

세상에서 가장 무능한 리더는 감정에 따라 말투, 표정, 행동이 달라지는 사람이다.
방탄 리더 감정컨트롤, 스트레스 관리 7단계!

입은 출력장치 말이 저장 되어 있는 Body(몸), Head(머리), Mind(마음) 스피치에 답이 있다. Body(몸) 스피치, Head(머리) 스피치, Mind(마음) 스피치 학습, 연습, 훈련!

Best 12

검증된 리더 강의 분야

<저자 최보규>   <저자 최보규>

11 방탄 리더 책쓰기

리더 자신 분야 삼성(진정성, 전문성, 신뢰성)을 올리는 최고의 자기계발은 책쓰기, 책 출간이다! 리더 은퇴 준비, 노후 준비까지 가능한 방탄 리더 책 쓰기!

12 방탄 리더 인간관계

좋은 리더가 되어 좋은 사람을 오게 하는 인간관계 CLASS 7. 100년 함께 하고 싶은 리더가 되기 위한 인간관계 CLASS 7.
삼성(진정성, 전문성, 신뢰성) 인간관계 CLASS 7.

80%는 **교육으로 만들어진다?** 300% **틀렸습니다!**

세계 최초! 방탄동기부여
효율적인 교육 시스템!

교육

1단계

= **20%**

스스로
학습, 연습, 훈련

2단계

= **30%**

검증된 전문가
a/s,관리,피드백

3단계

= **50%**

150년
a/s,관리,피드백

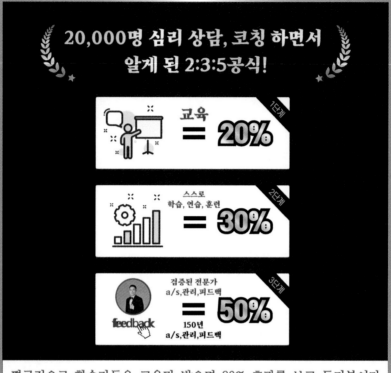

평균적으로 학습자들은 교육만 받으면 80% 효과를 보고 동기부여가 되어 행동으로 나올 것이라고 착각합니다.

그러다 보니 교육받는 동안 생각만큼, 돈을 지불한 만큼 자신 기준의 미치지 못하면 효과를 보지 못할 거라고 지레짐작으로 스스로가 한계를 만들어 버립니다. 그래서 행동으로 옮기지 못하는 것이 상황, 교육자가 아닌 자기 자신이라는 것을 모릅니다.

20,000명 심리 상담, 코칭, 리더 자기계발서 100권 출간, 리더 습관 320가지 만듦, 시행착오, 대가 지불, 인고의 시간을 통해 가장 효율적이며 효과적인 교육 시스템은 2:3:5라는 것을 알게 되었습니다.

교육 듣는 것은 20%밖에 되지 않습니다. 교육을 듣고 스스로가 생활 속에서 배웠던 것을 토대로 30% 학습, 연습, 훈련해야 합니다.
학습, 연습, 훈련한 것을 가장 중요한 50%인 검증된 전문가에게 꾸준히 a/s, 관리, 피드백을 받아야만 2:3:5공식 효과를 볼 수 있습니다.

Best 10

검증된 일반 강의 분야

<저자 최보규>

<저자 최보규>

1 나다운 방탄습관블록

습관, 성격, 스피치는 바꾸는 것이 아니라 쌓아 가는 것이다. 레고 블록처럼! 몸 습관 블록, 머리 습관 블록, 마음 습관 블록! 습관에 답이 있고 습관에 인생이 있다.

2 나다운 방탄멘탈

뭘 해도 욕먹는 시대! 대중 매체, SNS, 주위 사람들... 자신 멘탈 배터리를 소모 시키는 현실 속에서 자신 멘탈을 보호하기 위한 방 탄멘탈 7단계 업데이트!

Best 10

검증된 일반 강의 분야

<저자 최보규>   <저자 최보규>

3 자기계발 코칭전문가

노오력 자기계발이 아닌 올바른 노력 자기계발을 통해 제2수입, 제3수입까지 올려 온라인 건물주가 될 수 있는 방법을 학습, 연습, 훈련하는 자기계발코칭전문가!

4 나다운 방탄카피사전

아픈 만큼 성숙해진다? 거짓말에 속지 말자!

아픈 만큼 성숙해지려면 극복을 해야 한다. 마음 상처 극복 학습, 연습, 훈련!

Best 10

검증된 일반 강의 분야

<저자 최보규>　　　　<저자 최보규>

5　　행복히어로

6 나다운 방탄자존감 명언

대한민국 행복 꼴찌! 대한민국 행복이 위험하다. 자신 행복이 위험하다. 당신이 햄복하지 않은 이유는 단언컨대 행복을 학습, 연습, 훈련하지 않아서다!

사랑, 연예, 인간관계, 성공, 꿈, 이루고 싶은 것, 목표, 사람이 하는 모든 것들의 결과물, 행동하는 모든 것은 행복하기 위해서이고 행복의 본질은 자존감이다.

Best 10

★★ 검증된 일반 강의 분야

<저자 최보규> <저자 최보규>

7 나다운 강사 1

1~3년 차는 강의, 강사를 다듬을 수 있는 도구.
3~5년 차는 강의, 강사 자신의 전문 분야 방향을 잡을 수 있는 GPS가 될 것이다.

8 나다운 강사 2

5~10년 차는 강의, 강사 일에 초심을 되새기고 사명감을 만들 수 있는 마지막 퍼즐 한 조각이 되어 줄 것이다.
10~130년 차는 강사의 꽃인 강사 양성 교육을 할 수 메뉴얼, 시스템이 되어 줄 것이다.

Best 10

검증된 일반 강의 분야

<저자 최보규>

<저자 최보규>

9 리더는 유튜브가
아닌 나튜브

10 방탄 리더십

리더 삼성(진정성, 전문성,
신뢰성)을 올리는 최고의
방법은 유튜버다.
리더 자신 분야와 유튜브
를 연결하여 100년 수입
을 발생시키는 방법!

시대에 맞는 리더십으로 업
데이트해야 한다. 4차 산업
시대는 4차 리더십인 방탄
리더십! 리더십을 배우는 것
보다 더 중요한 것은 리더십
을 보호하는 것이다.

자신 분야 스펙, 내공, 가치, 값어치

카페에서 냅킨에 그린 그림이 1억?

카페에 피카소가 앉아 있었습니다. 한 손님이 다가와 종이 냅킨 위에 그림을 그려 달라고 부탁했습니다. 피카소는 상냥하게 고개를 끄덕이곤 빠르게 스케치를 끝냈습니다. 냅킨을 건네며 1억 원을 요구했습니다.

손님이 깜짝 놀라며 말했습니다. 어떻게 그런 거액을 요구할 수 있나요? 그림을 그리는 데 1분밖에 걸리지 않았잖아요. 이에 피카소가 답했습니다.

아니요. 40년이 걸렸습니다. 냅킨의 그림에는 피카소가 40여 년 동안 쌓아온 노력, 고통, 열정, 명성이 담겨 있었습니다. 피카소는 자신이 평생을 바쳐서 해온 일의 가치를 스스로 낮게 평가하지 않았습니다.

《확신》

Best 10

검증된 PT 분야

1 방탄 멘탈 PT

방탄 멘탈 7단계 시스템!
1. 순두부 멘탈
2. 실버 멘탈
3. 골드 멘탈
4. 에메랄드 멘탈
5. 다이아몬드 멘탈
6. 블루다이아몬드 멘탈
7. 나다운 방탄멘탈

2 방탄 습관 PT

방탄습관블록 3단계 시스템!
1. 몸 습관 블록
2. 머리 습관 블록
3. 마음 습관 블록

습관, 스피치, 성격은 바꾸는
것이 아니라 쌓는 것이다!

Best 10

검증된 PT 분야

3 방탄 자존감 PT

방탄 자존감 12단계 시스템!
1월 자존감 ~ 12월 자존감.

365일 자존감 배터리 충전
매뉴얼, 시스템!

4 방탄 행복 PT

방탄 행복 8단계 시스템!
1. 행복 초등학생
2. 행복 중학생
3. 행복 고등학생
4. 행복 전문학사
5. 행복 학사
6. 행복 석사
7. 행복 박사
8. 행복히어로

Best 10

검증된 PT 분야

5 방탄 Love PT

방탄 사랑 7단계 시스템!
1. Love ship (사랑 리더십)
2. 사랑 자존감
3. 사랑 멘탈
4. 사랑 습관
5. 사랑 행복
6. 사랑 자기계발
7. 사랑 코칭

6 방탄 Smile PT

방탄 Smile 7단계 시스템!
1. Smile ship (긍정 리더십)
2. Smile 자존감
3. Smile 멘탈
4. Smile 습관
5. Smile 행복
6. Smile 자기계발
7. Smile 코칭

Best 10

검증된 PT 분야

7 방탄 강사 PT

방탄 강사 6단계 시스템!
1. 강사 목표, 방향
2. 강사 자신감
3. 강사 스킬 UP
4. 강사 트레이닝
5. 강사 멘탈
6. 강사 사명감

8 방탄 책쓰기 PT

방탄 책쓰기 10G 시스템!
1. 원고 2. 초고
3. 퇴고 4. 탈고
5. 투고 6. 강의
7. 강사
8. 온라인 콘텐츠
8. 디지털 콘텐츠
10. 무인시스템 콘텐츠

Best 10

검증된 PT 분야

9 방탄 유튜버 PT

방탄 유튜버(나튜버) 시스템!
나튜버 20가지 시스템!

유튜버 영상 200 ~ 300개
제작으로 6가지 수입 창출
시스템!

10 방탄 리더십 PT

방탄 리더십 7단계 시스템!
1. 방탄 리더십
2. 리더 자존감
3. 리더 멘탈
4. 리더 습관
5. 리더 행복
6. 리더 자기계발
7. 리더 코칭

1 자기계발코칭전문가

★ **자격증명: 자기계발코칭전문가 2급, 1급**

★ **등록번호: 2021-005595**

★ **주무부처: 교육부**

★ **자격증 종류: 모바일 자격증**

★ **발급처: 방탄자기계발사관학교 (최보규 대표)**

국가등록
민간자격증 교육기관

2 리더십코칭전문가

★ **자격증명: 리더십코칭전문가 2급, 1급**
★ **등록번호: 2023-000126**
★ **주무부처: 교육부**
★ **자격증 종류: 모바일 자격증**
★ **발급처: 방탄자기계발사관학교 (최보규 대표)**

3 강사코칭전문가

★ 자격증명: 강사코칭전문가 2급, 1급
★ 등록번호: 2022-001741
★ 주무부처: 교육부
★ 자격증 종류: 모바일 자격증
★ 발급처: 방탄자기계발사관학교 (최보규 대표)

4 책쓰기코칭전문가

★ 자격증명: 책쓰기코칭전문가 2급, 1급

★ 등록번호: 2023-003712

★ 주무부처: 교육부

★ 자격증 종류: 모바일 자격증

★ 발급처: 방탄자기계발사관학교 (최보규 대표)

5 동기부여코칭전문가

★ 자격증명: 동기부여코칭전문가 2급, 1급
★ 등록번호: 2023-004646
★ 주무부처: 교육부
★ 자격증 종류: 모바일 자격증
★ 발급처: 방탄자기계발사관학교 (최보규 대표)

최보규 방탄자기계발 전문가

검증된 클래스101 디지털콘텐츠

 CLASS101

방탄자기계발| ❌   취소

☰ **Creator Center**

상품명 검색   🔍

  방탄 자기계발! 자기계발 시스템!   **1**
● 판매 중 · 원포인트 클래스 · 공개

  방탄 자존감 스펙 쌓기! 자존감 사용 설명서! **2**
● 판매 중 · 원포인트 클래스 · 공개

  방탄 사랑 스펙 쌓기! 사랑 사용 설명서!   **3**
● 판매 중 · 원포인트 클래스 · 공개

  습관사용설명서 습관 클래스   **4**
● 판매 중 · 원포인트 클래스 · 공개

검증된 클래스101 디지털콘텐츠

  CLASS101   Q

방탄자기계발| 취소

≡   **Creator Center**

   자기계발백과사전
● 판매 중 · 전자책 · 공개   **6**

   방탄자존감! 자존감 사전!
● 판매 중 · 전자책 · 공개   **7**

   방탄자존감! 자존감 사용설명서!
● 판매 중 · 전자책 · 공개   **8**

   강사 백과사전! 강사 사용설명서!
● 판매 중 · 전자책 · 공개   **9**

   행복도 스펙이다! 행복 사용설명서!
● 판매 중 · 전자책 · 공개   **10**

최보규 방탄자기계발 전문가

검증된 크몽 디지털콘텐츠

 kmong

어떤 전문가를 찾으시나요?

🔍 최보규

#395236
온라인 건물주 되는 방법 알려
드립니다.
300,000원

1

#354416
방탄자존감 학습, 연습, 훈련시켜
드립니다.
20,000원

2

#361095
자기계발 학습, 연습, 훈련시켜
드립니다.
30,000원

3

🔔　　　😀 **kmong**

#294884

행복 사용 설명서로 행복케어 멘탈케어 코칭해 드립니다.

20,000원

4

#339149

인생의 산소 자존감 학습, 연습, 훈련시켜 드립니다.

20,000원

5

#324745

방탄습관 사용설명서, 습관백과사전, 습관코칭해 드립...

20,000원

6

#289339

강사의 모든 것 강사 백과사전, 강사 사용설명서를 드립니다.

20,000원

7

탈잉

← 🔍 최보규 ⊗

 전자책 **1**

[튜터전자책]방탄자존감
사전1,2 / 134P+106P

자기 관리 · 최보규

20,000원

전자책 **2**

[튜터전자책]습관백과사전/
방탄습관1=131P ....

인문·교양 · 최보규

20,000원

 전자책 **3**

[튜터전자책]행복공식1=138
P . 행복공식2=145P)

인문·교양 · 최보규

22,000원

▶️ 녹화영상 **4**

당신도 온라인 건물주.
자기계발코칭전문가.영상...

인문·교양 · 최보규

210,000원

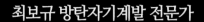

최보규 방탄자기계발 전문가

검증된 클래스U 디지털콘텐츠

자기계발코칭전문가 자격증
13강(자격증 발급), 1:1 코칭 연결

CLASSU 　　　클래스 개설　　로그인

\# 무엇을 배우고 싶나요?　　　🔍

← 　최보규　　　　　　　　　❌

클래스 2개　　　　　　　↑↓ 정확도순

참 쉽죠! 온라인 건물주!
최보규
월 70,000원
1

방탄사랑! 사랑 사용 설명서!
사랑도 스펙이다!
최보규
월 50,000원
2

검증된 인클 디지털콘텐츠

≡ 인클   방탄자기계발 🔍 👤

노력 자기계발이 아닌 방탄자기계발   ⓘ

노력 자기계발이 아닌 방탄자기계발

~~1,000,000원~~   인클패밀리 전 강좌 무료

검증된 유페이퍼 디지털콘텐츠

유페이퍼

분류 ▾ 신규 ▾ 인기 ▾ 추천 ▾ 대여 ▾ 할인 ▾ 다운 ▾ 페이퍼 ▾

[최보규] 검색어 콘텐츠 149

‹ 1 2 3 4 5 ›

자신 삼성을 높이는 시작은 책 쓰기, 책 출간이다!
(진정성, 전문성, 신뢰성)

온라인 건물주가 되기 위한 시작은 책 쓰기, 책 출간이다!

대한민국 99%가 책 쓰기, 출간하는 방법만
교육, 코칭 한다!
책 쓰기, 출간 기술력을 교육, 코칭 하는 곳은
방탄book뿐이다.

방법만 배우면 평생
몸을 움직여서 돈을 벌어야 하지만
기술력을 배우면 움직이지 않아도
돈을 벌수 있는 자동 시스템을 만든다.

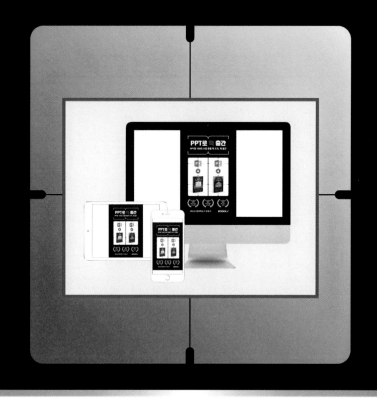

5. 포트폴리오 커리어 리더는 왜! 무인 시스템 자기계발을 해야 하는가?

자고 일어났는데 통장에 돈이 들어오는 시스템? 여행 중에도 돈이 들어오는 시스템? 비수기가 없는 시스템? 홈페이지가 일하게 하자, 시스템이 일하게 하자, 콘텐츠가 일하게 하자 움직이지 않아도 수입이 발생하는 시스템!

홈페이지가 없는 대표? 리더? 협회? 단체? 는 자신 분야 전문가라고 하면 안 된다. 왜? 4차 산업 시대, 디지털 시대에 홈페이지가 없다는 것은 시대에 뒤떨어지는 행동이다. 리더의 자질을 의심해 봐야 한다. 시대에 뒤떨어지는 사람이 어떻게 한 분야 전문가라고 말을 할 수 있는가? 홈페이지가 있다는 것은 간접적으로 자신 분야 가치, 목표, 신념, 사명감을 보여주는 것이다. 홈페이지가 없다면? 자신 분야 가치, 목표, 신념, 사명감이 없다고 봐야 한다.

비즈니스를 하기 위해서 홈페이지에 들어가 정보들을 참고하게 된다. 홈페이지가 없다고 무조건 의심스러운 사람, 사기꾼은 아니지만 단순하게 말을 하면 홈페이지가 있으면 기본적인 것이 검증이 되는 사람이다.
참고로 비즈니스를 할 때 돈을 보여주고, 돈 언급을 많이 하는 사람들이 다 사기꾼은 아니지만 비즈니스를 할 때 돈을 보여주는 사람들 90%는 사기꾼이라는 것을 명심해야 한다.

홈페이지는 자신 분야 주민등록증과 같은 것이다. 자신,

자신 분야 신분을 증명시켜주는 플랫폼이다.

누군가 전문가라고 하는데 홈페이지가 없다면 전문가라고 인정하지 않아도 된다. 홈페이지가 있다고 다 전문가는 아니지만 진짜 전문가는 홈페이지가 기본으로 있다.

이제는 시대가 빠르게 변하고 있다. 홈페이지만 있다고 되는 세상이 아니다. 전에는 홈페이지 용도가 회사 정보, 자신 분야 정보 등 정보 파악 기능 밖에 없었다. 이제는 비대면 시대, 디지털 시대, 시대에 맞게 무인 자동 결제 시스템과 연결시켜 홈페이지가 일하게 해야 하고, 콘텐츠가 일하게 해야 한다. 언제까지 몸으로 일할 것인가?

더 늦기 전에 홈페이지를 무인 자동 결제 시스템과 연결시켜 자신 분야를 디지털 콘텐츠 시스템화하지 않으면 자신 분야 미래는 우울하고 100세 까지 몸으로 일해야 한다.

20,000명 심리 상담, 코칭 하면서 리더, 협회, 단체, 개인 대표들의 고충을 알게 되었다.

경력 10년 이상, 협회장, 단체 대표, 1인 기업가, 전문 분야가 있지만 홈페이지가 없어 삼성(진정성, 전문성, 신뢰성)을 인정 못 받는 현실이다. 온라인 시스템을 만들기 위해 여기저기 알아보지만 답답하고 돈이 몇천만 원 들어가는 현실에 엄두가 나지 않는 상황이다.

● 리더, 협회장, 단체 대표, 1인 기업가, 전문 분야가 있는 사람들의 6가지 고충!

1. 홈페이지 제작 의뢰 전문가 비용 200~300만 원 부담된다.
2. 디지털콘텐츠를 자동화 결제 시스템 연결시키는데 100~200만 원 부담된다.
3. 자격증 교육, 코칭 교육, 줌교육, 자기계발교육, 책 쓰기 교육...온라인으로 팔 수 있는 콘텐츠 촬영해서 편집, 세부 디자인, 상세디자인...전문가의뢰 시 비용 200 ~ 300만 원 부담된다.
4. 홈페이지 관리 전문가 비용 100~200만 원 부담된다.
5. 회원 모집하기 쉽지 않다.
6. 새로운 콘텐츠 개발 전문가 의뢰비용 200~300만 원 부담된다.

"아~ 몇 천만 원 들어가는 홈페이지 제작비용, 디지털 콘텐츠 자동화 결제 시스템 전문가 비용(관리), 회원 모집을 한 번에 해결 수 있다면?"

"1,000만 원 이상 발생하는 비용을 1인 평균 한 달 커피 지출 비용(5만 ~ 10만 원) 수준으로 렌탈 할 수 있다면?"

시스템을 만들 수 없다면 만들어진 시스템 안으로 들어가면 된다. "함께 잘되고 잘 살자 프로젝트" "세계 최초" 자기계발아마존에서 시작 할 수 있다.

자기계발 아마존
홈페이지 렌탈서비스!

1,000만 원 발생하는 제작, 운영비를 한달 커피값으로 해결?

리더, 협회, 단체, 1인 기업가 대표들의 공동적인 6가지 고충!

1. 홈페이지 제작

2. 결제 자동화 시스템

3. 콘텐츠 촬영, 편집, 디자인

4. 홈페이지 관리

5. 회원 모집

6. 콘텐츠 개발

Google 자기계발아마존

NAVER 자기계발아마존

6가지 고충을 자기계발 아마존 한 곳에서 해결!

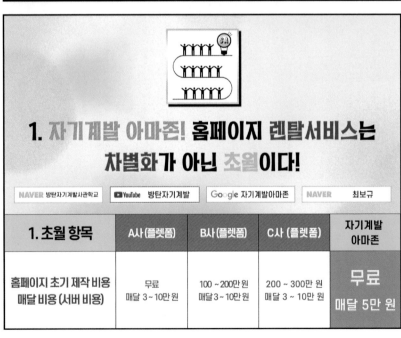

1. 초월 항목	A사 (플렛폼)	B사 (플렛폼)	C사 (플렛폼)	자기계발 아마존
홈페이지 초기 제작 비용 매달 비용 (서버 비용)	무료 매달 3 ~ 10만 원	100 ~ 200만 원 매달 3 ~ 10만 원	200 ~ 300만 원 매달 3 ~ 10만 원	무료 매달 5만 원

2. 홈페이지 제작보다 더 큰 돈이 들어가는 것?
홈페이지 운영, 관리 하기 위한 전문가 비용이다!

2. 초월 항목	A사 (플렛폼)	B사 (플렛폼)	C사 (플렛폼)	자기계발 아마존
홈페이지 운영, 관리 비용 (매달 들어가는 비용)	전문가 비용 100~200만 원	전문가 비용 100~200만 원	전문가 비용 100~200만 원	무료 (매달 무료)

NAVER 방탄자기계발사관학교　　YouTube 방탄자기계발　　Google 자기계발아마존　　NAVER 최보규

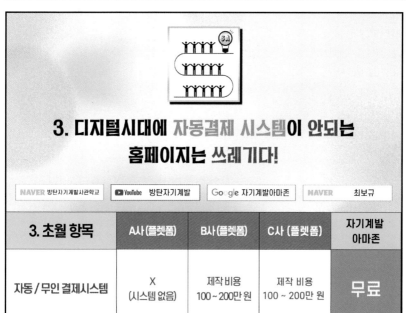

3. 디지털시대에 자동결제 시스템이 안되는
홈페이지는 쓰레기다!

3. 초월 항목	A사 (플렛폼)	B사 (플렛폼)	C사 (플렛폼)	자기계발 아마존
자동 / 무인 결제시스템	X (시스템 없음)	제작 비용 100~200만 원	제작 비용 100~200만 원	무료

NAVER 방탄자기계발사관학교　　YouTube 방탄자기계발　　Google 자기계발아마존　　NAVER 최보규

4. 디지털시대 자신 분야 촬영, 편집, 디자인 스펙은 이제 선택이 아닌 필수다!

4. 초월 항목	A사 (플렛폼)	B사 (플렛폼)	C사 (플렛폼)	자기계발 아마존
디지털 콘텐츠 제작 촬영, 편집, 상세디자인	X (시스템 없음)	제작 비용 100~200만 원	제작 비용 200~200만 원	무료

5. 디지털트렌드는 매달 결제로 이루어지는 정액제, 시스템 사용료가 발생한다! (어도비, 포토샵, 넥플릭스, 카카오 이모티콘 플러스, 디즈니플러스....)

5. 초월 항목	A사 (플렛폼)	B사 (플렛폼)	C사 (플렛폼)	자기계발 아마존
디지털 콘텐츠 운영, 사용 비용 (매달 비용 발생)	X (시스템 없음)	매달 3~10만 원	매달 3~10만 원	매달 5만 원

316

6. 협회, 단체, 단톡방, 밴드... 많은 모임들을 한 곳에서 자유롭게 교류, 모집, 콘텐츠 공유를 통해 고립되고 있는 모임들 활성화!

NAVER 방탄자기계발사관학교 　　▶YouTube 방탄자기계발 　　Google 자기계발아마존 　　NAVER 최보규

6. 초월 항목	A사 (플렛폼)	B사 (플렛폼)	C사 (플렛폼)	자기계발 아마존
협업을 통한 회원 모집, 교류 시스템	X (시스템 없음)	X (시스템 없음)	X (시스템 없음)	홈페이지 통합 시스템 협업으로 회원을 모집, 교류, 공유

7. 앞으로는 자신 분야 한 가지 콘텐츠로 살아남지 못한다. 자신 분야를 연결시킬 수 있는 3 ~ 5개 콘텐츠를 개발하여 무인 시스템이 되는 콘텐츠로 연결시켜 제2, 제3, 제4 수입 창출하자!

NAVER 방탄자기계발사관학교 　　▶YouTube 방탄자기계발 　　Google 자기계발아마존 　　NAVER 최보규

7. 초월 항목	A사 (플렛폼)	B사 (플렛폼)	C사 (플렛폼)	자기계발 아마존
콘텐츠 개발, 연결 (제2, 제3, 제4 수입 창출)	X (시스템 없음)	X (시스템 없음)	제작 비용 500 ~ 1,000만 원	무료 컨설팅 (기획, 제작) 콘텐츠에 따라 비용 발생

8. 114처럼 언제든지 물어볼 수 있는
삼성(진정성, 전문성, 신뢰성)이 검증된 전문가가
150년 함께 한다면 자신 분야에서 인정, 변화, 성장할 것이다!

NAVER 방탄자기계발사관학교 | ▶YouTube 방탄자기계발 | Google 자기계발아마존 | NAVER 최보규

8. 초월 항목	A사 (플렛폼)	B사 (플렛폼)	C사 (플렛폼)	자기계발 아마존
A/S, 관리, 피드백	1년 ~ 2년	1년 ~ 2년	1년 ~ 2년	150년 무료

9. 비용은 시간이 지나면 당연하게 오른다!
비용이 가장 쌀 때는 지금이고 가장 비쌀 때는 내일이다.
싸고 비싸고가 중요한게 아니다. 어떤 사람과 함께하느냐가 중요하다!

NAVER 방탄자기계발사관학교 | ▶YouTube 방탄자기계발 | Google 자기계발아마존 | NAVER 최보규

9. 초월 항목	A사 (플렛폼)	B사 (플렛폼)	C사 (플렛폼)	자기계발 아마존
총 비용 매달 비용	초기 비용 100 ~ 200만 원 매달 비용 3 ~ 10만 원	초기 비용 500 ~ 1,000만 원 매달 비용 5 ~ 20만 원	초기 비용 1,000 ~ 2,000만 원 매달 비용 5 ~ 20만 원	초기 비용 무료 매달 비용 5 ~ 10만 원

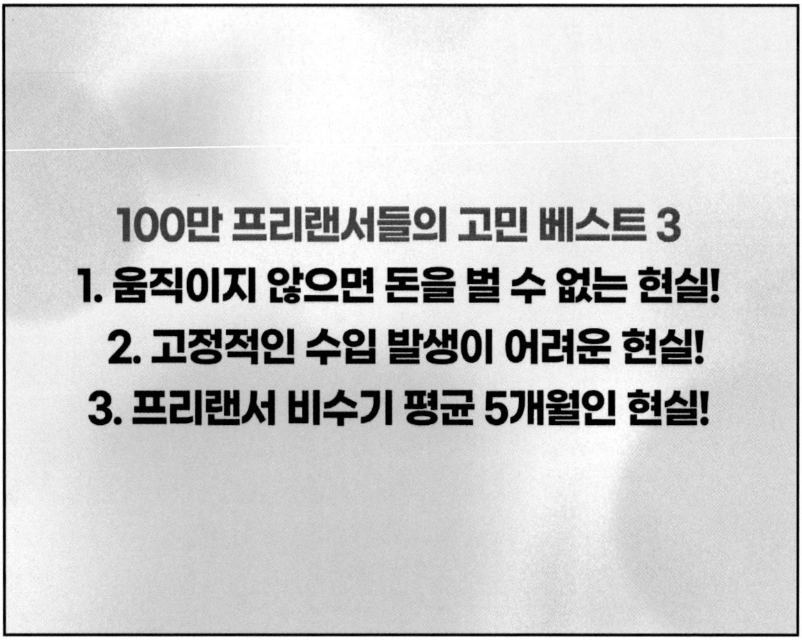

100만 프리랜서들의 고민 베스트 3
1. 움직이지 않으면 돈을 벌 수 없는 현실!
2. 고정적인 수입 발생이 어려운 현실!
3. 프리랜서 비수기 평균 5개월인 현실!

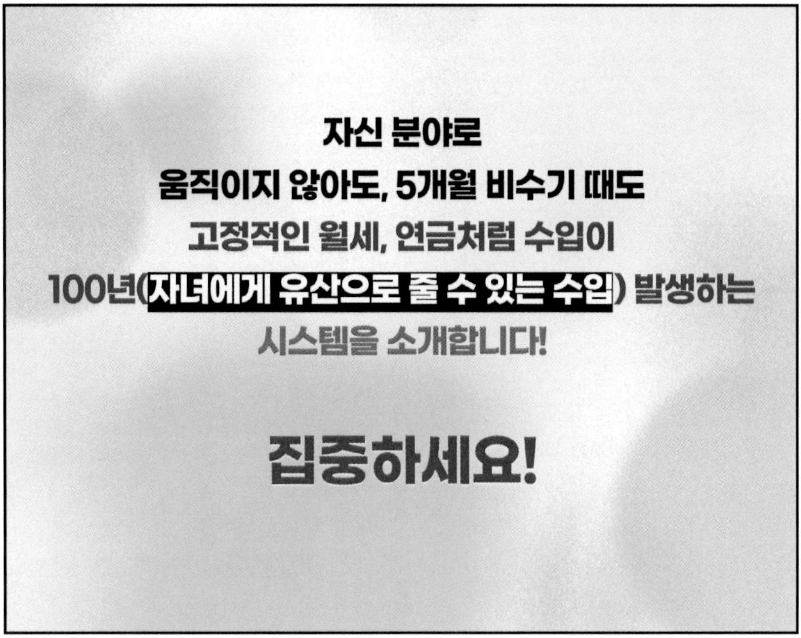

자신 분야로
움직이지 않아도, 5개월 비수기 때도
고정적인 월세, 연금처럼 수입이
100년(자녀에게 유산으로 줄 수 있는 수입) 발생하는
시스템을 소개합니다!

집중하세요!

사무실이 필요 없는 시스템!

직원이 필요 없는 시스템!

휴식 중에도 돈이 들어오는 시스템!

가족들과 여행 중에도 돈이 벌리는 시스템!

자고 일어나면 통장에 돈이 입금되는 시스템!

누구나 바라는 시스템이지만 아무나 만들 수 없고 만들고 싶어도 몇 천만원이 들어가는 시스템!

최보규원장이 그 마음 알기에 함께 잘 되고 잘 살기 위해
지금 현실, 앞으로 힘든 시기를 극복하는 터닝포인트 기회를 드립니다!

조물주 위에 건물주는 다음 생에도 힘들지만
온라인 건물주는 이번 생에 가능하다!

방탄자기계발 컨트롤타워에서
온라인 타워팰리스 분양받으세요!

분양 받기 어렵겠지?

비용이 많이 들겠지?

NOPE

NOPE

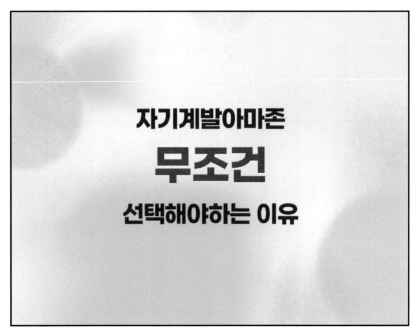

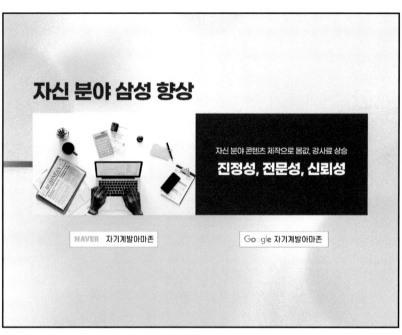

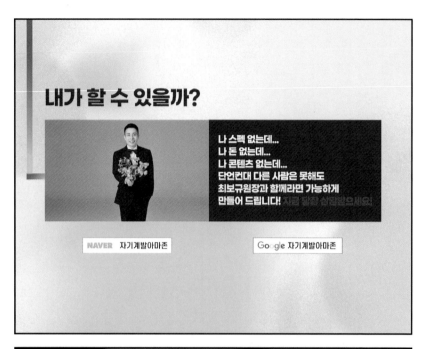

프리랜서 힘들죠? 지치죠?
전문 분야를 만들어 제대로 인정 받고 싶죠?
전국 돌아다니다 보니 몸이 성한 곳이 없죠?
나이가 많아서 불러 주는 사람이 점점 줄어 들고
자신 분야 프리랜서 직업의 미래가 불안하시죠?

100만 명 프리랜서 들의 걱정, 고민 들
세계 최초 자기계발 쇼핑몰을 창시한
최보규 원장이 그 마음들 알기에 함께 잘 살기 위한 시스템인
자기계발아마존에서 극복할 수 있습니다.

리더 자기계발도 이제는 효율적으로 해야 한다. 효율적으로 하기 위해서는 시스템 안에서 어떤 전문가와 함께 할 것인가?

2010년 김연아를 밴쿠버 올림픽 금메달로 이끈 브라이언 오서 코치라는 시스템이 있었다. 2002년 월드컵 4강 신화의 주역인 거스 히딩크 감독이라는 체계적인 시스템을 만났기에 가능했다는 것이다.

최보규 방탄리더 자기계발 전문가가 리더 자기계발계의 오서, 거스 히딩크가 되어주겠다. 리더여, 최보규 방탄리더 자기계발 전문가를 만났기에 이제는 가능하다는 것이다. 자신을 못 믿겠는가? 자신을 못 믿겠다면 자신을 믿어주는 최보규 방탄리더 자기계발 전문가를 믿고 지금부터 시작하면 된다.

기댈 곳 / 가수 싸이
당신의 오늘 하루가 힘들진 않았나요
나의 하루는 그저 그랬어요
괜찮은 척하기가 혹시 힘들었나요
난 그저 그냥 버틸만했어요

솔직히 내 생각보다 세상은 독해요
솔직히 난 생각보다 강하진 못해요.
하지만 힘들다고 어리광 부릴 순 없어요.
버틸 거야 견딜 거야 괜찮을 거야
하지만 버틴다고 계속 버텨지지는 않네요
그래요 나 기댈 곳이 필요해요
그대여 나의 기댈 곳이 돼줘요
당신의 고된 하루를 누가 달래주나요
다독여달라고 해도 소용없어요
솔직히 난 세상보다 한참 부족해요
솔직히 난 세상만큼 차갑진 못해요
하지만 힘들다고 어리광 부릴 순 없어요
버틸 거야 견딜 거야 괜찮을 거야
하지만 버틴다고 계속 버텨지지는 않네요
그래요 나 기댈 곳이 필요해요
그대여 나의 기댈 곳이 돼줘요
항상 난 세상이 날 알아주길 바래
실은 나 세상이 날 안아주길 바래
괜찮은 척하지만 사는 게 맘 같지는 않네요
저마다의 웃음 뒤엔 아픔이 있어
하지만 아프다고 소리 내고 싶지는 않아요
그래요 나 기댈 곳이 필요해요
그대여 나의 기댈 곳이 돼줘요

기댈 곳을 찾고 있는가? 방탄자기계발사관학교가 기댈 곳이 되어 주겠다. 방탄자기계발사관학교에서 방탄자기계발 학습, 연습, 훈련을 통해서 누군가에게 기댈 곳이 되어 줄 수 있는 세계 최강 방탄 코칭 전문가가 되어 인생을 갱생하자!

한번 코칭으로 "세계 최초" 세계 최강 책임감! 150년 동안 a/s, 관리, 피드백 해주겠다. 메시지, 메일 하길 바란다!

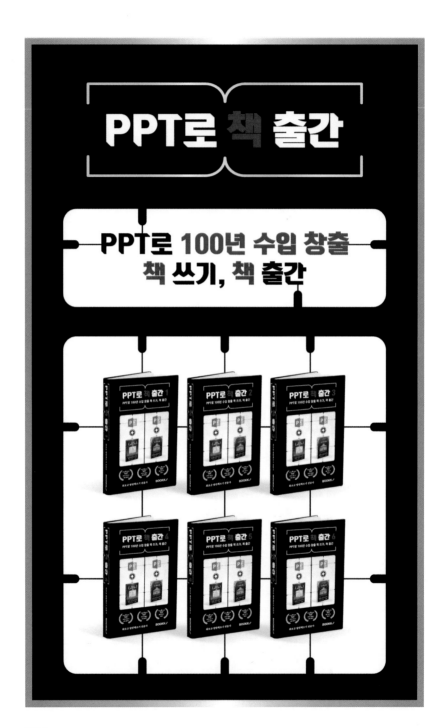

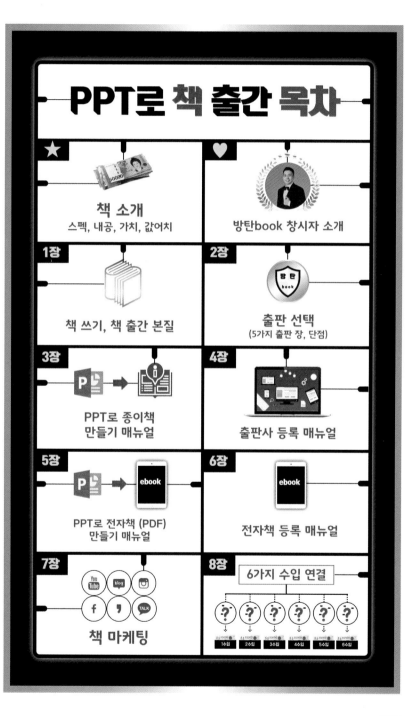

대한민국 99%가 책 쓰기, 출간하는 방법만
교육, 코칭 한다!
책 쓰기, 출간 기술력을 교육, 코칭 하는 곳은
방탄book뿐이다.

방법을 알면 1권 출간하고 끝이지만
<u>**기술력을 알면**</u>
10권, 100권, 1.000권... 도 가능하다.